COLLECTION
FOLIO ACTUEL

Régis Debray

Conseils
d'un père à son fils
Bilan de faillite

Gallimard

Ce volume a paru initialement en 2018 dans la collection Blanche, aux Éditions Gallimard, sous le titre : *Bilan de faillite*.

Ancien élève de l'École normale supérieure, agrégé de philosophie, Régis Debray est également auteur de romans (prix Femina 1977) et d'essais.

À Antoine

Les scènes de demain ne me regardent plus; elles appellent d'autres peintres: à vous, messieurs.

CHATEAUBRIAND

I

Tu as seize ans, moi soixante-seize. Un abîme.
Avoir duré plus que de raison ne donne pas à
un père l'autorité requise pour se faire écouter
d'un fils. Tu me demandes quoi faire de ta vie,
je me demande ce que j'ai fait de la mienne. Tu
voudrais sortir de l'enfance, je rêve d'y retourner. Comment t'orienter dans les jungles de
demain ?

Déjà, t'indiquer la bonne section après ta
seconde m'avait laissé penaud. Où te sentirais-
tu le mieux, dans quelles filières ? Comment
évaluer, une fois écartés hôtellerie, design, arts
appliqués, musique et danse, l'utilité sociale
comparée des Lettres, de l'Économie et Société,
et enfin des Sciences, faute d'être au clair sur
les bénéfices que ces divers violons d'Ingres ont
pu m'apporter ? Ce que j'en avais escompté à
ton âge, ce que j'en ai retiré, au mien... Te voilà
maintenant bachelier, au seuil des prépas, la
décision urge, dérobade impossible. Et si je

peux aujourd'hui tenter de te répondre, c'est à cause d'un imprévu qui vient juste de me dévoiler le tableau net des dépenses et recettes d'une existence passée à vivre au présent tes futurs. Je ferai donc le *pater familias* imbu de ses prérogatives : je conserve, tu innoves. Transmettre aux suivants pour qu'ils fassent mieux que nous et ne recommencent surtout pas – ce devrait être la devise de la profession. Mais ne voulant pas mettre tes comptes dans le rouge, j'avais, tu vas le voir, quelque raison de surseoir.

Si nombreux les bénéfices de la décrépitude – insouciance sexuelle, baisse des appels télé- phoniques, assoupissements réparateurs, surdité modulable selon l'interlocuteur, économies de coiffeur et d'habillement, esseulement propice à la lecture toujours remise à plus tard de *Guerre et Paix* – qu'on en oublie le plus enviable, l'opé- ration de la cataracte effectuée un beau matin sur notre cristallin par un flash rétrospectif et décapant. Un brouillon de vie devient soudain notre copie au propre. Cette ultime mise au point compense le lent déclin de nos pouvoirs supposés créateurs, en fait d'enjolivement et d'affabulation, et transforme un flou artistique en une photo anthropométrique digne d'un fichier antiterroriste. Tant qu'on ne voyait pas le bout du chemin, l'idée que demain sera un autre jour, croyance déraisonnable, jetait sur le révolu un voile pudique, en renvoyant aux calendes grecques le relevé des mécomptes. On abandonnait à la mort, pour reprendre une scie trop réputée qui remet à demain ce qu'on peut faire aujourd'hui, le soin de « transformer une vie en destin ». On a devant soi, sans retouches, le résultat net de l'exercice. Plus besoin d'attendre bêtement l'infarctus. Incapable d'honorer plus avant la clientèle, on dépose *motu proprio* son petit résumé auprès du tribunal de commerce. Je te le remets en mains propres, tu verras comment l'acheminer à qui de droit.

Dans mon cas, l'homme du passé et l'homme du passif ne pouvant se chipoter, puisqu'ils ne font qu'un, le résultat des courses, malgré les bonnes paroles d'usage (« aperçus intéressants », « un certain ton », « controverses en cours », etc.), me semble consolidé. C'est peu dire que l'avenir des congénères, tel que je le voyais à vingt ans, n'a pas fait un tabac. Ce que je plaçais jusqu'à hier dans les actifs immatériels de ma petite entreprise – utopies exotiques, travaux philosophiques, excursions littéraires – a été, pour les uns, condamné par la sagesse du législateur européen pour crime contre l'humanité, pour les autres, noyé dans les boîtes de bouquinistes avec d'inutiles alluvions de papier. L'espace public n'est plus mon souci et, militant défaillant recasé bougonnant, je regarde celui où je m'ébattais jadis avec le même étonnement qu'un buffet François Ier dans une salle à manger Ikea. Quoique la rotation des étiquettes sur le forum donne le tournis aux hommes de tradition, le bénéfice de l'âge m'autorise un état récapitulatif des pertes et profits, côté salut public et nobles causes. Castriste à vingt ans et partisan de la lutte armée contre les dictatures d'Amérique latine, j'ai vu l'une après l'autre ces insurrections défaites. Socialiste assagi et bon teint, j'ai vu s'épanouir à domicile un hypercapitalisme omnisports, en forme olympique, et les écarts de richesse se creuser partout alentour. Misant mes dernières cartouches sur le renouveau d'une République à la française, j'y ai vu prendre ses aises, sans complexe, une démocratie à l'anglo-saxonne, la relation client remplaçant un à un les services publics. Et l'ancienne « embêteuse du monde » rétive à l'alignement s'enliser dans les marais de l'Euroland, capitale Berlin. Je te passe les déboires, côté états de service personnels : avoir raté au Chili l'enlèvement de Barbie, vainement attendu le Québec libre et Chevènement président, que le siège des Nations unies quitte New York pour Jérusalem, Cité universelle, comme je l'avais préconisé, et que le programme du Conseil national de la Résistance sorte un jour de l'oubli. Tous les bilans de faillite, sache-le, ne sont pas délictueux ni frauduleux. Le mien se nomme le train du monde.

Ne t'étonne pas de me voir parler ici l'espéranto de nos nouveaux managers et de ta génération, la langue de la gestion comptable et financière, et pardonne-moi si je ne suis pas à l'abri d'à-peu-près, malgré mes cours du soir (la formation permanente du troisième âge). Ma démarche n'a rien de romantique : tout à la culture du résultat, elle ne vise qu'à soupeser les risques, favoriser l'initiative et apprécier au plus juste les services et produits proposés. Si je procédais à l'ancienne, par des métaphores militaires qui me seraient plus familières, ces replis successifs sur des positions non préparées à l'avance prendraient un air de juin 40 furtif, un exode trotte-menu à travers un demi-siècle, une « histoire française » parmi tant d'autres, rien à signaler. Programmes déchirés, confiances déçues, amitiés brisées : je n'aurais pas le ridicule de m'accrocher ce ton sur ton comme un ruban rouge à la boutonnière, c'est le sort commun des vaincus de l'Histoire. Nous sommes un certain nombre qui ne nous trouvons pas l'air fin quand nous voyons quelle pente nous avons dévalée. Et qui nous demandons ce que nous avons bien pu faire pour en arriver là.

Rassure-toi. Je ne postule pas à la plus enviable et la plus disputée des positions, celle de victime. Nous n'avons pas été floués par des méchants. Notre tranche d'âge n'a pas perdu une bataille mais la guerre. Celle des mots, des

mémoires et des avenirs. Et nous avons lu et
approuvé un énième armistice, sans même les
honneurs du wagon de Rethondes. Qui nous?
Ceux qui avaient trahi leur milieu de naissance
et que le milieu reprend en main, les fils de
bourges instruits de la lutte des classes et qui,
sous le sobriquet de «progressistes», avaient
pris le parti des pauvres, quand les rupins, partout, étaient en train de la gagner, les doigts dans
le nez. «Il n'y a que la mort qui gagne», disait
Staline. Non. Il y a d'abord le fric, qui est immor-
tel. Les tentatives d'inventer un contre-pouvoir
dans la société, ou une contre-société face à
l'Argent-maître – l'Église du Christ, l'Université, l'Art, les Soviets – ont échoué l'une après
l'autre, certaines se révélant pires que le mal.
Et le Chiffre, une force qui va, a pris le contrôle,
en Russie comme en Chine, dans les facs et les
stades. Il n'a pas le triomphe modeste. Qui ose-
rait encore, chez nous, désespérer Neuilly-sur-
Seine? On peut masquer cette déculottée sous
un ton grand seigneur, désinvolture blasée, iro-
nie distante, «au-dessus de ça». La poésie des
ruines. Des simagrées. Tant d'idéaux jetés à la
queue leu leu dans une fosse commune auraient
mérité, non un sourire de faux jeton, mais une
salve d'honneur.

   J'admets qu'il faille, dans cette balance provi-
soirement finale, faire sa part à un amour-propre
corporatiste. Le déclassement des dernières

décennies n'a pas touché que les agriculteurs, les inspecteurs du travail et les aides-soignantes. Il avait tout pour humilier les enseignants, polygraphes, employés des arts et lettres et chercheurs de panacée, bref, ce que Valéry appelait les « professions délirantes ». La mienne rêvait d'échapper à son destin le plus probable en bricolant sur le papier des voies de traverse. On ne nous avait pas préparés au culte du *gagnant*. On ne nous avait pas prévenus que les footballeurs deviendraient des demi-dieux feuilletés d'or comme des bouddhas birmans ; ni que chanteurs, acteurs et actrices, avec oscars, noces et obsèques en direct, seraient les phares de nos étés, les héros de nos hivers et les mentors de nos mentors ; ni qu'il faudrait avoir séché l'école pour faire école, se faire breveter briseur de tabous et ennemi des lois pour faire la loi et devenir intouchable. Ce pied de nez ne pouvait que donner des boutons au *genus irritabile vatum*, l'engeance irritable des poètes, notre population de diplômés déplumés laissée sur le carreau, rancunière, à cran, humiliée par la vogue si cruelle des cinquantenaires et des centenaires, particulièrement ingrate aux disgraciés du zodiaque, sous le signe de la Vierge. Pour les accidentés de la route des « transformations », insomniaques de vieille roche, pas de cellule de soutien psychologique. Le service de santé des armées a inventé la médecine de catastrophe mais n'a rien programmé, pas même la pose d'un garrot avec tourniquet, pour les survivants du « socialisme en liberté » ou les Grecs et assimilés tondus par la Troïka. On se retourne dans notre lit, sans possibilité d'émigration massive ni de transfusion sanguine, car les rêves les plus longs à mourir sont ceux qui nous ont le plus longtemps fait vivre. On devrait le signaler aux saints laïques qui se vouent à des occupations fort peu rentables – offrir une soupe chaude aux demandeurs d'asile perdus dans la montagne, repêcher les naufragés en Méditerranée ou développer dans le Maine-et-Loire le photovoltaïque. Le Centre de prévention contre les dérives sectaires ne prévoit pas de structure de réinsertion pour ces saint-bernard insolvables, comme en ont les fous de Dieu de retour en France. Le ministère de l'Intérieur se fie au temps qui passe pour les déradicaliser en douceur, ces irresponsables sans but lucratif, aussi déboussolés qu'un ex-cadre socialiste en quête d'adresse et d'emploi. En un mot comme en cent, nous n'avions pas de plan B sauf un seul, malheureusement : le bonheur, qui empoisse et endort les consciences sans rien nous demander. Cette glu délicieuse ne donne pas plus de préavis que la foudre.

Je n'aurai pas l'impudence de me grimer devant toi en pauvre hère pour me vanter d'une infortune imaginaire. Le sort m'a gâté. De quoi pourrait se plaindre un fieffé veinard qui a eu

plus de chance que dix cornards? Être resté
en vie dans une prison lointaine avec l'aide de
ma compagne d'alors, Élisabeth; avoir croisé
quelques célébrités, et même, en plus, des gens
bien; vivoté de sa plume et humé l'air des cinq
continents; semé des fausses notes dans les
gazettes en toute liberté; profité d'un chaleureux
regroupement d'intelligences amicales autour
d'une revue, *Médium*; tiré honneur d'une fille
talentueuse, exigeante et mordante, Laurence,
et, suprême miracle, le réconfort d'une épouse
admirable, Isabelle, ta mère, sans qui il aurait
depuis longtemps succombé à ses incapacités
tant pratiques qu'intellectuelles (manier un ordi-
nateur, payer ses impôts, attendre son tour chez
le boulanger mais aussi supporter les anniver-
saires et se tenir convenablement en public).
Bref, au lieu de faire la roue pour un dernier
tour de piste, tel un paon décati *fishing for com-
pliments*, le grand-père qui te sert de père devrait
plutôt arroser ses plants de choux à la fraîche,
avant de passer poliment l'arme à gauche,
comme tous les honnêtes gens qui éteignent les
feux sans prendre les passants à témoin.

Mais voilà, mon bonhomme, il se trouve
que tant de félicités familiales et sociétales me
donnent du mouron. Je ne te dirai pas qu'elles
m'empêchent de dormir, mais elles ont comme
un arrière-goût de chose indue. Je me garderai
bien d'injurier le bonheur, mais permets-moi de

te signaler qu'on peut le définir autrement que le *chief happiness officer* de Google. Un voyage en business class ou une marque de blouson reste une contrefaçon à côté des bouffées d'oxygène qu'offre, à de rares moments, l'adhésion à une Cause poussée jusqu'à l'oubli de soi. Ces envolées, je l'avoue, ne durent qu'un temps, et on retombe assez vite sur le « et moi et moi » avec un milliard de Chinois. Souci légitime mais dont il n'y a pas lieu d'être fier, pas plus que d'être français, amateur de sucreries et blondinet de souche. Signer des livres dans un supermarché, causer dans le poste, trouver des sous pour réparer la toiture, et chercher, en juillet, un bord de mer où le bain n'est pas trop froid. Pas brillant, je l'avoue. Les travaux et les jours. Ce n'est pas le plus reluisant de l'humaine condition, cette faculté de tourner la page pour en noircir une autre sans rapport avec la précédente. Nous l'exerçons tout en pestant contre la box à changer, la hausse du loyer et les quais de Seine bouchés, sous couvert des odes rituelles aux « grandes mutations en cours ». La *résilience*, ou capacité de résistance d'un matériau à un choc plus ou moins grand, a pris en psychologie un sens non plus neutre mais laudatif pour désigner la capacité d'un individu à *se refaire* en se donnant une deuxième chance, comme l'exige l'*american way of life* où la *success story* est une obligation. Miracle du vouloir-vivre :

faire du beau avec du moche. Je n'ignore pas ce que doit l'ancien prédateur des savanes et des jolies dames à ces blancs dans le texte, rien de moins que la continuation de l'espèce – pouvoir écrire, par exemple, de délicats madrigaux après Auschwitz, Hiroshima, la guerre de Trente Ans ou la peste noire –, mais ne puis m'empêcher de penser à ce qu'il entre de commodité, sinon de lâcheté, dans cette immémoriale procession de bipèdes prêts à tout renier pour persévérer dans l'être. L'Occidental s'exige de moins en moins, bon point pour la démographie, mauvais pour la déontologie. Si le sens de l'honneur n'était pas à la baisse dans nos contrées festives, le taux de suicide serait à la hausse, les hôpitaux psychiatriques encore plus encombrés et l'allongement de l'espérance moyenne de vie sérieusement compromis. L'augmentation du revenu moyen par habitant et l'évanouissement des études gréco-latines au lycée ont chassé de nos références l'immolation à la romaine. Qui s'enrichit engraisse, qui engraisse se dégrade et à celui-là suffira bientôt la seule grâce d'exister. Il y a des exceptions, et je n'en suis pas. Les suicides d'Adolf Joffé, un opposant trotskiste à Staline, de Pierre Brossolette en France ou de Salvador Allende au Chili, tous en bonne santé et dans la force de l'âge, nous paraissent à présent difficilement imaginables, non moins que ceux de Sénèque, de Chamfort ou de Werther.

Le spleen, oui, la sortie, non. Et l'option Massada, la forteresse où les derniers résistants juifs à l'occupant romain se sont donné la mort, renseignements pris, ne dit rien qui vaille à nos états-majors. Et puis, il y a les fragrances, les madeleines, la chair profonde, le bain dans la mer à midi, Midi le juste, Midi sans mouvement. Le sel de la vie – le sourire d'une inconnue dans le métro, les sons mauves de la trompette bouchée de Miles ou cette odeur de figues mûres au cap Corse, sur les hauteurs d'Erbalunga, au-dessus du toit tranquille où picoraient des focs – nous accroche à la rondeur des jours comme la moule au rocher, mais pour les intraitables d'antan le sel n'avait plus de goût si la vie n'avait plus de sens. Stefan Zweig n'a pas voulu survivre à l'idée trop exigeante qu'il se faisait de notre Europe ; comme Romain Gary à la personne de De Gaulle, et peut-être aussi à Jean Seberg. C'était, le Français et l'Autrichien, des croyants amoureux, si la redondance est permise. L'idée que tout se vaut, et donc que rien au fond ne vaut qu'on le prenne trop à cœur, nous protège contre de pareilles excentricités. Il y a là de quoi nourrir un certain pessimisme éthique, autant dire un bel optimisme zoologique.

Sens-toi à l'aise, fiston. Nulle idée noire à l'horizon. La cessation d'activité est le risque ordinaire des PME, et quand tout a été fait selon les règles de l'art, de sept à soixante-dix-sept ans,

ce n'est pas baisser pavillon que de remettre les
clés. On peut toujours se persuader qu'il y aura
des repreneurs, et le redressement judiciaire a
plusieurs procédures – réduction des effectifs,
liquidation ou fermeture. Les maisons familiales sont plus douées que les autres pour une
relance impromptue. Pourquoi ? Parce qu'elles
œuvrent dans le temps long et gardent une
mémoire – les frères Michelin ont pu arrêter
les pneus en 1914 pour fabriquer dare-dare des
avions, une jolie reconversion – mais je crain-
drais pour toi s'il te prenait l'idée de suivre le
même chemin. Se reproduire de père en fils,
parce que bon sang ne peut mentir : sombre
perspective. J'opterais personnellement pour la
fermeture, un changement d'air. Je ne suis pas,
je le regrette, un confrère d'Alexandre Dumas
ni de François Mauriac, des noms qui furent
lourds à porter pour les rejetons, et m'en voudrais de confondre le maître et l'épigone, mais
tu es en droit de savoir quelles conclusions je
tire de ma traversée de l'époque, avant d'en-
tamer la tienne. Rentabilité d'abord – tu pon-
déreras à ta guise ce retour d'expérience. Tu y
trouveras des comptes sans les règlements du
même nom, n'ayant rien à reprocher à personne d'autre qu'à moi-même. On ne gagne
pas sur les deux tableaux, comme chacun sait.
« Les écrivains, notait Paul Morand, ne réussissent leurs livres que dans la mesure où ils ont

raté leur vie »; et les politiques, ajouterai-je, ne réussissent leur vie que dans la mesure où ils ratent leurs livres. L'un n'empêche pas l'autre, le cumul est possible. Prendre du recul sur ce pas de deux a de quoi égayer tant nos marches et contremarches frôlent le comique de situation. Ne fronce pas le sourcil. L'adolescence est trop encline à prendre la vie au tragique ; la vieillesse nous en découvre le drolatique, après coup. En quoi elle n'est pas ennuyeuse à mourir, comme le répète le jeunisme postfasciste qui fait l'affaire des candidats aux élections et des vendeurs d'informatique. J'entends bien que le tort causé aux ambitions du boutonneux par l'érosion des ans est un poncif éculé, mais devenir le contraire exact de ce qu'on avait rêvé d'être cinquante ans plus tôt n'est pas une raison pour attraper la maladie du noir ou celle du rouge. Au diable, le dépit, l'amertume et les râleries. Sourire jaune, c'est encore sourire.

Je sais bien. À plus d'un demi-siècle de distance, la voix ne porte plus. Ce qui sera s'éloigne chaque jour un peu plus de ce qui fut, et pour échanger avec le blanc-bec le vieux con doit sortir son cornet acoustique. Malgré tout, tes questions ne tombent pas dans l'oreille d'un sourd. C'est quand on se sent déjà hors jeu, ou fatigué de le jouer, que l'on découvre, quoique un peu tard, les nouvelles règles du jeu d'une société qui a changé les siennes mine de rien. Je ne voudrais pas alourdir ton bagage avec ce que j'ai pu cueillir çà et là du métier de survivre, mais au moins tu le tiendras de la bouche du cheval. Tu n'auras pas à t'en remettre à d'autres, pas toujours bien intentionnés, pour apprendre de quel héritage tu devras, plus tard, te soulager. Puisque tout nouveau-né est un parricide en puissance. Ne proteste pas. Cela fait aussi partie de la règle du jeu.

II

Sur foi de quoi, deux ou trois indications sur la filière L. Elle s'appelait jadis A lettres, le A est tombé en chemin. C'est celle que j'ai suivie au lycée, et qui me rattrape dès que je fais le flambard ailleurs. Tu ne sembles pas très tenté par cette voie de garage, mais tu attends là-dessus des renseignements de première main. Logique puisque écrivain je suis, j'opère sous statut. Cela te donne une réponse toute prête quand tes potes te questionnent sur le job de ton vieux. En réalité, tu n'as jamais su très bien ce que je fais dans la vie (moi non plus, d'ailleurs). Tu connais mon goût pour la crème de marron, les calembours et le *Requiem* de Fauré, tu lis parfois mon nom dans un journal, mais tu as du mal à cerner le sujet (je ressens la même difficulté). Quand j'inscris dans un avion sur la fiche de débarquement, à la case profession, *écrivain*, tu me demandes si je ne pourrais pas trouver mieux. Plus relevé et moins anodin. Sache que j'aurais bien voulu. Farfadet querelleur, folliculaire, pisse-copie, ce n'était pas du tout le projet. Si quelqu'un m'avait dit que j'allais tourner gende-lettre, un énième fournisseur des rentrées tou-jours trop fournies de l'automne, je l'aurais jeté dans la Seine et aurais enjambé le parapet à sa suite. Un Français sur deux a écrit, écrit ou écrira un livre, un sur mille en lit, mais on ne se donne pas la peine de naître pour faire nombre. Je n'imaginais pas, quand j'avais ton âge, qu'un ouvrage pût être autre chose qu'un délit, une rafale ou un suicide par le feu, débouchant au pire sur un duel au bois de Vincennes et au mieux sur une émeute au faubourg Saint-Antoine. Si on ne pouvait lui échapper, à la plume d'oie, que ce soit au moins pour déclen-cher des cataclysmes. La Révolution par exem-ple (dont on parlait beaucoup à l'époque). J'ignorais tout de la librairie en général et des étals de libraires en particulier : un millier de petites bonbonnes de gaz par mois, sagement juxtaposées sur les présentoirs, ça va, ça vient, ça tourne et tout le monde s'en fiche. J'avais sur-tout un sérieux temps de retard·sur l'arrivée de nos minirectangles lumineux. Je voyais dans chaque semblable un lecteur-critique-biblio-phile plongeant le nez trois ou quatre heures par jour dans des rectangles de papier moins bien éclairés mais bien plus éclairants, et recopiant les formules-chocs dans un carnet de moleskine noir. La vie est faite de malentendus, et quand s'y ajoute l'esprit de l'escalier, Jacques Tati et Buster Keaton ne sont plus très loin. Mallarmé contresignait le Vieux Monde en proclamant qu'il «est fait pour *aboutir* à un livre». Le Nouveau, lui, *commencerait* par là. Des pattes de mouche correctement justifiées sur des feuilles à petits carreaux s'en iraient demain mettre le feu à la plaine. Il y avait des précédents encourageants. Les évangélistes, qui avaient terrassé l'Empire romain (ils s'y étaient mis à quatre, la Bête était géante). Luther, en solo, brisant la chrétienté, en punaisant un placard sur une porte d'église. Marx-Engels, trente feuillets, et l'Ancien Monde vacille, ou aurait pu, si l'entreprise n'avait pas dérapé vers des steppes septentrionales mal outillées pour cette mission. Il n'était que temps de reprendre l'affaire à zéro, sous des latitudes ultramarines qui ne feraient pas du lait de la tendresse humaine un casier à glace. Mon amorce en papier pelure ne serait pas un pavé avec notes en bas de page et biblio en queue. Les parallélépipèdes à dos cartonné alignant des caractères alphabétiques peuvent se répartir en deux catégories : ceux qui sont faits pour être là et ceux qui sont faits pour être lus. Les miens relèveraient d'une troisième : ceux qui font boum. On les appelle des Manifestes. Mon détonateur réconcilierait deux lignées de bonne famille : le plastic grande classe, tradition surréaliste (le fondateur de l'Armée rouge, Trotski, ayant invité André Breton à Mexico pour remettre conjointement d'équerre le genre humain), et l'explosif bon marché, moins petit doigt en l'air, tradition plébéienne. L'ouvrage en style mitraillette viserait l'opprimé en tant que tel, l'indigène sans nationalité particulière. Ce serait un implacable enchaînement de formules opaques et comminatoires, intimidantes et floues, de celles qui laissent le lecteur incertain d'avoir bien compris mais sûr qu'il y a anguille sous roche, redoutant dans l'immédiat d'être largué, mais avec l'espoir de pouvoir plus tard compter parmi les conjurés, à condition de faire ce que l'auteur lui dira de faire, pour, le jour J, se mettre à la hauteur. Des fusées du type – mais comment innover quand on débarque trop tard dans un monde trop vieux ? – « la femme est l'avenir de l'homme », « la propriété, c'est le vol », « la paix, c'est la guerre » ou encore « l'homme est né libre et partout il est dans les fers » ou, plus actuel, « le monde est une immense accumulation de marchandises, il est temps que cela cesse ». Ces missiles, je les pointerais à l'encre bleu-noir sur des rampes de lancement de marque Charlemagne (Héraclès bandant son arc sur la couverture), les expédierais à Genève, où Lénine a encore sa fiche à la Société de Lecture, chez un imprimeur rompu aux samizdats, et le feu se propagerait de masure en château,

quoique toujours sous le manteau. Flammèche
réimprimée à bas bruit, planquée chez des
libraires aux arrière-boutiques ombreuses et
sûres, habitués par Voltaire au jeu du chat et de
la souris pyromane. Je serais, bien sûr et comme
de juste, en butte à la conspiration du silence
qu'opposent, depuis le néolithique, les médias
du CAC 40 aux envoyés du Futur dans le présent,
mais le brûlot, traduit en tagalog, en aymara et
en zoulou vulgaire, n'en filerait pas moins sa
traînée de poudre en rez-de-jardin. Chacun connaît la suite. Les catacombes se connectent, les
conjurés s'encouragent, des prises de feu se
déclarent en surface (usines, raffineries, univer-
sités, ZEP, etc.). Commence alors, bien loin des
chienlits pour rire, façon Mai 68, la phase classique des lettres de dénonciation, juridictions
spéciales, prises d'otages, affiches rouges, signa-
lements par voie de presse – la France a de
l'expérience, depuis l'Occupation, et l'heure des
brasiers sa litanie, partout la même. La vague
gonfle, la répression hésite, les mousquetons
ont du mou. «Nous ne tirerons pas sur nos
enfants», déclarent des colonels de gendarmerie. Branle-bas dans les hautes sphères. Sentant
le vent tourner, *Le Figaro*, suivi par *Le Monde*,
préconise la solution du moindre mal : la négo-
ciation. Qu'on ouvre les dossiers et les chiffres
de la balance commerciale à ces godelureaux
fanatisés, les boutonneux se calment au contact

des réalités budgétaires. L'Élysée, prenant acte de l'incapacité où se trouvent désormais les pouvoirs publics de fonctionner, et enfin informé par ses services du nom de l'écrivain-philosophe, de l'artificier à l'origine de cet incontrôlable incendie, se dit prêt à se retirer si un accord peut être conclu « entre partenaires sociaux et responsables ». Le geste ne manque pas de noblesse et j'en donne acte au président, publiquement. Où suis-je ? Près de Ruffin, faubourg de Genève, dans les jardins d'Hamilcar. Jean Ziegler a mis à notre disposition, mes camarades et moi, un chalet assez quelconque. L'ambassadeur de France à Berne fait notre siège en misant sur ma vanité refoulée, difficilement, et il l'a deviné, le coquin. « Le temps est venu, me serine-t-il à chaque entrevue en me remettant un épais dossier de presse, que le premier des républicains devienne le premier dans la République. » À la surprise générale, j'oppose un front de marbre à ces suppliques réitérées, et lui réponds que le palais de la Pompadour, non, à d'autres, je ne mange pas de cette brioche. Finalement, puisqu'on insiste de tous les côtés, je refile l'Élysée à un adjoint qui en a envie, les nouveaux Rastignac se contentent de peu. À eux de se débrouiller, moi, je m'esbigne. L'autorité par l'absence, c'est autrement plus gratifiant que la solitude du pouvoir, couplet usé, morne rengaine. Question de niveau. Je ne ferai pas don de ma personne à la France, seulement d'une ombre évasive et fuyante, laissant à la discrétion des miens le choix du dénivelé le plus convenable, caveau ou frontispice, crypte du Panthéon ou fronton du Trocadéro. La modestie ne paye pas, et encore moins en lettres d'or, mais j'ai assez confiance dans la Justice de mon pays pour faire une entorse à la règle. Inaugurer les temps nouveaux avec des points de suspension, mes simples initiales, cela aurait de la gueule, non?

M. Lévi-Strauss, en observant les sorciers nambikwara et l'usage social des innovations techniques, n'a pas eu tort de voir dans l'écriture une invention destinée à dominer autrui. Dans la plume-épée d'un mirliflore se rêvant écrivain, à l'époque précédant la nôtre où c'est le roi du rock qui est le roi du peuple, sommeillait un sceptre, qu'un rêve suffit à réveiller. Tu comprends pourquoi je suis devenu allergique aux mégalomanes dont les amplis nous crèvent le tympan. Guitares électriques ou tirades électrisantes, ce sont des gens dangereux qui rêvent le jour à des empires auxquels il vaut mieux, pour la paix civile, rêver seulement la nuit.

Revenons à nos moutons: les bénéfices éventuels d'un apprentissage littéraire. Je déconseille d'emblée: économie de niche, peu de débouchés, retour sur investissement improbable. Il n'y a plus de roulement de tambour

pour le « grantécrivain », à moins qu'il n'ait,
en sus d'un talent incontestable, des yeux bleu
outremer et un teint hâlé tout l'hiver.

D'abord, tu es un garçon, et tu risques de rou-
gir, en petit mâle intimidé, dans des amphis où
neuf étudiants sur dix seront des filles. Ensuite,
les apanages littéraires sont désormais régis par
un gouvernement de femmes, par les femmes et
pour les femmes. C'est à ne pas répéter, vu les
amendes en vigueur, mais c'est notre chance à
tous car, tout harcelé qu'il soit, ce genre encore
aujourd'hui sous-payé a su conserver les bonnes
manières : ne va guère en prison, viole assez
peu, sait faire le signe de croix et lit des œuvres
littéraires en prose. Comment ne pas l'en remer-
cier ? Sans son esprit de sacrifice, le roman en
particulier ne trouverait plus preneur, ce qui
mettrait à quia la plupart des maisons d'édition.
Nos consœurs fournissent la copie en amont, la
critique en aval, et l'achat en magasin : le cycle
fonctionnera bientôt en circuit fermé. Le sexe
de la clientèle s'observe, si j'ose dire, à l'œil nu,
dans le métro ou le train. Dans le Transilien
qui me ramène de Paris à ma campagne, en fin
d'après-midi, la répartition des prothèses dans
le wagon archiplein parle d'elle-même : les messieurs ont sur leurs genoux un ordi ouvert ; les
jeunes somnolent ou se dandinent écouteurs à
l'oreille ; les dames d'outre-mer parlent à voix
haute dans le cellulaire ; seules leurs congénères

hexagonales ont un bouquin en main. Cela ne signifie pas que ton sexe de naissance est rédhibitoire, mais que, dans cette filière faussement généraliste, tu ne dois pas oublier à qui un scribe s'adresse en tapotant sur son clavier: à notre meilleure part, la moitié du Ciel, en passe de racheter l'autre.

Ensuite, L, c'est langue, une peau de chagrin, si de la nôtre il s'agit. Ne revenons pas sur les causes connues d'une obsolescence *boostée* par la SNCF et tous nos fils de pub. En principe, faire une œuvre consiste à extraire du chaos qui passe une forme durable, mais *quid* si la matière première s'en va, si le stock « langue articulée » s'effiloche dans le flux, érodé, laminé, aplati en « ouigo » – trois cents mots à la tribune de l'Assemblée, deux cent quatre-vingts signes pour un Tweet? Les ouvrages « plus pérennes que le bronze » ont dû fuir en latin dans les pages roses du dictionnaire. Il te resterait, pour échapper aux mornes aplats du français utile, une voie de sortie: parolier pour une idole des jeunes. L'auditeur ayant absorbé le lecteur, tu pourras encore l'émouvoir avec une mélodie simple et dépouillée, murmurée ou hurlée dans un micro, en *prime time.* Si tu ne crains pas l'excès d'audace, je te recommande deux leitmotivs qui font la paire et ne te brouilleront avec personne: l'Amour et la Vie. *Standing ovation* assurée. Pour réussir le passage de l'horizon d'un seul à l'hori-

zon de tous, les mots tout secs ne suffisent plus.
Pour qu'une petite roue dans l'occiput devienne
une Grande Roue foraine et rayonnante, il te
faudra marier l'oreille avec les yeux. Une sensa-
tion et un plaisir. Album et BD. Tube et planche.
La Castafiore et Barbarella n'ont pas besoin
de traducteurs, elles voyagent léger, et tu as vu
comment s'allongent les files d'attente devant les
stands des caricaturistes et bédéistes, au Salon
du livre. Je mettrais mon feu orange au vert si tu
te sentais le talent simple et bouleversant (l'un
parce que l'autre) d'un Jacques Brel, « Moi je
t'offrirai / des perles de pluie / venues de pays / où
il ne pleut pas / »... Les chansons d'auteur ne
sont pas des feux de paille et, non contentes de
tout dire sur l'air du temps, elles se gravent dans
notre mémoire mille fois mieux qu'une thèse ou
un essai. Je suis de la classe Brassens et Ferré,
mes parents de l'ère Trenet, tes oncles sont des
neveux de Souchon et Renaud. Le petit zinzin
qui élève au grain une génération et lui trotte
dans la tête – je ne te parle pas du hip-hop ni du
rap – n'est pas un truc mineur pour les mineurs
car de tous les arts, c'est celui qui sait faire le
plus avec le moins, définition de l'art classique.
Johnny en a rajouté dans l'électro et le spot, le
Tennessee en nous l'exigeait. Mais ne rêve pas.
Les poètes du terroir sans Harley-Davidson,
comme les librettistes d'opéra, ont toutes les
chances de passer à la trappe, non moins qu'un

romancier porté à l'écran. *Un singe en hiver*,
c'est Belmondo et Gabin, point final. On ne
peut exclure qu'un robot érudit du XXIIᵉ siècle
connaisse encore le nom d'Antoine Blondin,
mais pour l'heure, si tu n'as pas un filet de voix
et des boucles d'oreille, tu resteras une ombre
parmi les ombres, et devras vivoter en famille.
Rien de catastrophique, n'est-ce pas ?

Laissons la roulotte en haut de la colline,
voyons l'atelier d'écriture en contrebas. L'étude
des dactyles et spondées chez Virgile, prends-y
garde, ne favorise pas spécialement la gambade.
Ni un bon retour en droits d'auteur. Simenon,
Giono et Jack London n'ont pas fait khâgne et
hypokhâgne, et cela leur a plutôt réussi. Pouvoir
un jour écrire sur une feuille vierge de citations
et d'allusions, c'est le bonheur que je souhaite
aux écrivain(e)s de ton temps. Je ne l'ai pas eu.
Peut-être les œuvres d'imagination exigent-elles
d'avoir tout bonnement une enfance au fond
de soi. Une eau-de-feuilles-vertes, des sorciers
noirs, des mornes rouges en Guadeloupe – « Et
les servantes de ma mère, grandes filles lui-
santes… » – ou encore une maman russe fille
d'un horloger juif venue de Vilnius modeler des
chapeaux à façon dans les couloirs du Negresco
à Nice ; encore mieux, petit chapardeur à Sète,
puis la dèche à Paris, un taudis au fond d'une
impasse du quatorzième, sans eau ni électricité,
plein de chats et de chiots, avec Jeanne, lingère,

et Marcel, l'Auvergnat. Ces souvenirs-là sont
d'inépuisables poches de pétrole. Ils ont fait la
fortune et le génie de Saint-John Perse, Romain
Gary et Brassens, lequel n'a jamais appris le
solfège. Blanche-Neige, le Chat botté et la fée
Carabosse n'ont hélas pas alimenté mon fonds
de roulement. Je n'ai pas eu d'enfance, le dou-
dou et la Nany sont partis sans laisser d'adresse,
ma vaillante mère n'aimait que le champagne,
fumer des blondes avec un fume-cigarette et
arborer en voiture, sur le tableau de bord, une
cocarde bleu-rouge (Ville de Paris). Précisons,
pour ne pas mentir. Ce fut longtemps ma volonté
d'effacer l'enfance ou d'en inventer une autre,
mais la vraie est toujours là, par le biais de la
mémoire involontaire, dans une sauce à la
crème et à l'estragon, grande spécialité mater-
nelle, dans l'eau de toilette Roger Gallet, celle
de mon père, ou à la vue d'un minigolf à l'aban-
don, de ceux où je disputais le point avec mon
frère aîné. Marcel Proust ayant à la satisfaction
générale épuisé la question, comme tu vas le
découvrir bientôt, permets-moi de ne pas y revenir. Un doublon serait outrecuidant. Le lien du
sang, tu l'as compris, n'ayant rien de bien fantai-
siste, je dois mon signe particulier au seul droit
du sol, mais c'est un ni-ni, ni aristo ni prolo :
le Trocadéro ; et mon paternel, un grand honnête homme, ne m'a laissé aucun lourd secret
à enfouir (comme en évoque Barbara dans les

chansons que nous aimons toi et moi). Tout cela donc, un juste milieu, un entre-deux sans pittoresque. Peut-être faut-il être sûr de ses ancrages et de ses paysages pour affronter l'anxieuse solitude des créateurs au lieu de la fuir dans le brouhaha des colloques et des meetings. Peut-être n'a-t-on plus besoin de grandes courses ni de chimères électorales quand on peut donner vie à un *Hussard sur le toit*. Peut-être un trop peu de rêves intérieurs oblige-t-il à chercher au-dehors la folie qui nous fait défaut. Peut-être... Je ne sais au juste mais le fait est que je demandais trop au roman-feuilleton pour me contenter du peu que je pouvais lui apporter. Si j'avais pu tirer de mon chapeau des capitaines Fracasse ou des Arsène Lupin, je n'aurais pas tant battu la campagne pour en rencontrer, mais, quoi qu'on dise, les copies en chair et en os ne valent pas les originaux sur papier. Les talents de conteur – et non de reporter – dispensent de rameuter les grands souvenirs comme de mouiller sa chemise. Il est à craindre qu'un manque d'imagination oblige à se gaver de citations pour égaler ce qu'on vit à ce qu'on lit. Aurais-je été si attaché, par ailleurs, à prendre le parti des mythes et des fables si j'avais pu, comme un García Márquez ou un Faulkner, coucher noir sur blanc un Macondo ou un comté de Yoknapatawpha, ces « biens pour toujours » ?

Que mes manques à gagner personnels, cela

dit, ne te cachent pas les séductions d'un milieu pétillant qui a son charme et parfois de la grâce. Il a cet avantage que plus on y vieillit, plus caresses et cajoleries viennent toutes seules jusqu'à nous – académies, présidences, parrainages et missions officielles. Nous sommes, nous les gens d'esprit plus ou moins en vue, les talons rouges de la démocratie d'opinion, et passons par les trois âges qu'avait déjà repérés Chateaubriand sur l'aristocratie de son temps. On commence par les *supériorités* dont il faut bien s'affubler pour passer des concours aléatoires, affronter un jury de thèse ou déposer un manuscrit auprès des standardistes de Gallimard, dans le hall. Après quoi, on passe aux *privilèges*, à des positions enviées et redoutables aux divers degrés de la pyramide, et à la fin, cette noblesse par raccroc se gonfle, se pavane et s'emplume. C'est l'âge terminal des *vanités*. Chateaubriand concluait : « Sortie du premier âge, elle dégénère dans le second et s'éteint dans le dernier. » Je ne partage pas cette vue morose. Mes collègues et moi-même arborons un air vif et sémillant. Le déclinisme, dans notre Jockey Club, mériterait un bémol.

La filière A lettres – les cracks à Janson-de-Sailly allant en A prime, qui exigeait en plus de faire des maths et de l'allemand – m'a conduit benoîtement à la philo, qui n'était pas encore un pis-aller mais le débouché naturel des facili-

tés littéraires. L'Amérique a mis depuis le holà
à ce pli ancestral et tentateur en intégrant cette
discipline aux sciences analytiques et cogni-
tives et en renvoyant la philosophie « continen-
tale » dans les zones molles et déclassantes de
l'essayisme. J'ai donc glissé sur la pente nationale de l'« écrivain-philosophe », une méthode
culturale qui a donné à notre pays le haut-brion
et Jean-Paul Sartre, nos premiers grands crus
classés. Elle écarte du seul pouvoir qui vaille,
régner sur les imaginations, et des seules œuvres
qui ébranlent durablement les foules, les œuvres
de fiction, mais elle permet au moins de fouil-
ler tout l'enfoui d'une civilisation. J'ai fait de
mon mieux, à cet égard, pour me soustraire à la
frime rhétorique et construire un savoir en dur,
la médiologie, avec tout ce qu'il faut de CQFD.
En vain. Si tu lisses les abords, tu es versé chez
les « brillants », en Cocteau du pauvre – classique coup de patte du confrère à jargon. On
se veut démonstratif, avec tableaux, glossaires
et schémas, on démonte les échafaudages avant
remise à l'éditeur, par politesse envers le lecteur,
et cette légèreté laborieusement conquise te sera
comptée à charge par les macaroniques. De
quoi faire sortir du bois le mégalo rentré qui ne
dort que d'un œil. « Sachez, messeigneurs, que
Rousseau n'était pas seulement un éloquent et
un gracieux. Il vous a aussi envoyé *Le Contrat
social* dans les gencives, souvenez-vous-en. » Des

ruades de ce genre, on les garde pour l'insomnie ;
de jour, on aggraverait son cas. Sans doute est-il
permis de ferrailler mais seulement dans l'enceinte des questions du moment. Les maniaques
de l'hypothético-déductif sèment beaucoup pour
essaimer fort peu. Le rendement à l'hectare,
dans mon cas, aura été des plus bas. Je cogitais
à côté. La grande question qui, à l'âge des prises
de tête, n'a cessé de me tarauder : qu'est-ce que
les hommes peuvent avoir en commun ? Comment peut naître un esprit de corps, comme
faire un *nous* avec un amas de *moi-je* ? L'anti-
totalitaire, qui donnait le ton – cela se comprend,
vu le contexte –, ne s'exaltait que du contraire :
comment se distinguer de son voisin ? Comment
sculpter sa statue, approfondir le « souci de soi »,
rejoindre les marges miraculeuses ? Je plaidais
pour l'institution, quand il fallait n'y voir qu'un
instrument d'oppression à bazarder de toute
urgence. Incorporation, c'est incarcération,
répétaient en chœur pulsion libérée, individu
émancipé, désir glorifié. C'était, entre notables,
à qui serait le plus mal noté. Sans une attesta-
tion de marginalité, pas de podium. M. Foucault
conférait le prestige du Salon des refusés, un air
de dissidence au tout-à-l'ego moutonnier issu
des Trente Glorieuses. Ce drôle de tour, accom-
pagné d'une pluie d'objets, d'opulences toutes
nouvelles, priva de raison d'être les espérances
collectives, vieilles ombres portées du dénue-

ment humain, et nos regards convergeaient vers la Californie de tous nos rêves. Ce qui soude une génération, où que ce soit, c'est un accord tacite sur ce qui est bon à penser et donc sur les désaccords dignes d'attention. Ceux qui se creusent le crâne hors périmètre n'impriment pas, ou se font entendre de travers. J'ai écrit cinq ou six livres des plus terre à terre et pragmatiques sur le *sacré*, qui ne devaient strictement rien à un quelconque attrait pour le surnaturel ou l'ineffable, et les ai retrouvés en librairie au rayon ésotérisme et spiritisme. Mon propos était seulement de savoir pourquoi aucune concrétion d'humains n'a jamais pu cristalliser sans se coiffer d'un truc imaginaire qui légitime le sacrifice et interdit le sacrilège. Quand j'ai suggéré une mise à l'étude du fait religieux dans l'école laïque, ce fut attribué à une claudélienne conversion derrière un pilier de Saint-Sulpice. Le but était d'abord de réparer nos canalisations, et d'ouvrir nos têtes blondes à d'autres *nous* que le nôtre, jaune, noir ou cuivré, puisqu'il n'est pas de civilisation qui n'ait pour socle et fil d'or une tradition religieuse. Et quand je me suis permis un modeste éloge des frontières, de l'écorce des arbres et du duvet des oisillons, je me suis vu inscrit d'office au Front national. Quiconque a une image lui collant à la peau devrait s'appeler Quiproquo. Au début, cela agace, à la fin, on s'en amuse.

Et puis, la religion de la Nature – pandas, loups et moustiques inclus – a déferlé, et la mystique de l'Histoire, qui titillait encore quelques spécimens engourdis de la faune humaine, est partie se cacher, toute honteuse. Au point d'oublier que c'est le partage d'un même passé plus que d'un même espace qui peut convaincre notre espèce de faire un seul peuple, alors que chez les abeilles la solidarité est dans la ruche et non dans les Annales. D'où vient qu'une vivante communauté a toujours et partout besoin de monuments aux morts, comme la plus modeste famille d'un moustachu sépia en médaillon, de violettes séchées sous globe ou d'une pendule à balancier au salon. Les morts obligent, et l'ancêtre donne du pep. La Chine et le Japon en regorgent : autel et bâton d'encens y trônent à domicile, ce qui ne ferait pas de mal à l'Européen *Yes we can*. Parmi les quelques évidences que j'aurais voulu voir entrer dans le domaine public, il y a la vertu propulsive et dynamique de la nostalgie, qui nous fait serrer les poings pour égaler les grands Anciens, quand la mélancolie, elle, ne fait que serrer le cœur. Dès que l'ange de l'Histoire cesse de regarder en arrière, le présent devient narcissique, et le conservateur se reconnaît au soin qu'il met à se montrer moderne et branché. Un révolutionnaire laisse aux gagne-petit le soin de soupirer que c'était mieux hier. Lui, il double la concurrence avec des avant-hier. La Renaissance saute le Moyen Âge pour ressusciter l'Antiquité, la Réforme enjambe la gargouille pour retrouver le temple nu et le romantique convoque le Graal et la pastourelle pour enfoncer le rococo enguirlandé. Toujours deux pas en arrière et hop, le bond en avant. Quand pointent les fumées d'usine et de locomotive, l'auteur d'*Hernani* rameute le «parti mâchicoulis», et ses amis arborent le gilet Robespierre. Les hommes de 89 délaissent la perruque pour la toge romaine, Lénine au Kremlin danse dans la neige parce qu'il a tenu un jour de plus que la Commune de Paris. Nos avant-gardes attaquent depuis toujours le gros de la troupe par l'arrière, mais *Monsieur Jadis* continue de passer pour un demeuré auprès des éclairés. Je ne m'insurge plus. Et je me résigne au fait qu'attribuer la naissance d'un Dieu universel à ce qui l'a rendu portatif, la jonction du quadrupède et du rouleau de papyrus, sera toujours taxé de matérialiste. Un penseur ne s'intéresse pas au matériel. Méprisables sont les artefacts. La roue et le stylet ont permis à l'esprit de domestiquer l'espace et le temps, mais peu importe : pour les maîtres de la Forêt-Noire et du Flore, la machine est l'ennemi de l'esprit. Quant à l'ambition, pour expliquer la permanence du sacré, de «faire accepter des raisonneurs et des intelligents tout ce qui passe dans l'homme intelligence et raison» (Jean Paulhan), ne t'étonne pas si on y voit une énième contribution aux sciences occultes. Rien n'y peut. Je baisse la tête.

Ne crois pas que j'ouvre ici le bureau des pleurs. Quoique les petites entreprises ne soient tenues qu'à publier des comptes annuels, je t'indique la valeur nette comptable de ma participation pluridécennale à la filière L, déduction faite de l'indulgence des copains, d'une place de centième aux meilleures ventes tous les trente-six du mois et de mes propres châteaux en Espagne.

Épargne-toi, pour les idées que nous souffle le vent, l'acharnement après décès. Ce qui fut dit hier ne s'entendra demain que s'il se trouve des gens qui auront intérêt à le redire. D'où l'indispensable, c'est un docteur ès transmissions posthumes qui te parle, d'un *corps de rattachement*, je veux dire d'une tribu ayant pignon sur rue capable de reprendre les paroles envolées d'un de ses anciens enterrés. N'étant membre de rien, je n'ai rien à attendre. C'est un corps déjà constitué qui seul peut accorder à une âme biodégradable une petite rallonge de vie. Celle que peut toujours espérer, le soir venu, quand il se sent glisser dans le noir, un grimaud catholique ou juif, catalan ou bouddhiste, féministe ou bretonnant, occitan ou philatéliste, mais à laquelle ne peut prétendre un disciple de Gracchus Babeuf ou d'Auguste Comte dont les porte-mémoire ont fait naufrage, laissant quelques rescapés s'entre-déchirer pour rester à flot. Un *moi-je* sans la rescousse d'un *nous-autres* en canot de sauvetage pour le hisser à bord doit refouler ses envies de postérité : les produits du terroir AOC ont leur date de péremption. Nous ne dégustons plus la fraise de Plougastel ni le champignon de Paris, personne ne s'en offusque. Je te renvoie là-dessus à François Mauriac, un croyant qui ne s'en laissait pas accroire : « L'œuvre est ce qui compte le moins dans le destin d'outre-tombe des écrivains. » De fait. S'il ne restait plus rien de nos calvaires et de notre Toussaint, qu'en serait-il parmi nous d'un Bernanos ou d'un Claudel ? Et *quid* d'Aragon, si Léo Ferré, le 1er Mai et la Fête de l'Huma partaient demain au musée ? Voilà qui devrait te soulager d'un fardeau : tu continueras d'honorer père et mère, comme il est stipulé dans le Décalogue, mais ne te sens coupable de rien quand ton géniteur et ses opus vivront tranquillement leur vie de cave.

III

Vient ensuite, sur ta *check-list* encore en vigueur, ES, Économique et Social. Tu n'as pas l'air très tenté mais je te signale que les deux termes additionnés, de nos jours, donnent P comme politique. Et là, je te vois des yeux qui brillent. Et là, Charlot agite son fanion rouge. Pire que le « comment dégager des marges dans un environnement sans croissance » – à quoi pensent la plupart de tes copains, qui se voient déjà en pleine Silicon Valley. La pente franco-française, sache-le, est terriblement glissante – Sciences-Po Paris, ENA, assistant parlementaire, dircab, philanthrope, ministre, etc. –, sonnette d'alarme ! Je monte sur mes grands chevaux. Les injures, poisses et calomnies qui guettent l'inconscient mettant un doigt dans l'engrenage, je ne vois plus ce qui pourrait t'en dédommager, le jour venu. J'ai sur ce plan de l'expérience à ton service, et même si elle a

obéi à des circonstances qui la rendent un peu
« datée », je crains que tu ne puisses en faire fi.

Tu crois que j'ai un peu divagué sur ce chapitre. Tu ne dis pas déraillé ou débloqué, parce
que tu es gentil, mais je vois bien le sourire tantôt indulgent, tantôt moqueur. Avais-je bien cal-
culé mon coup ? Lancé au préalable une étude
de marché ? Un business plan en tête ? Non.
Suis-je sûr d'avoir bien compris dans quel guê-
pier je me suis jeté, voici plus de soixante ans,
quand j'optai pour un côté de la barricade contre
l'autre ? Non. J'avais mes partis pris (et j'ai du
mal à les quitter, les malheureux). Qui n'en a
pas ? Sirius promène un regard impartial sur
nos joies et nos peines pour n'être né en aucun
lieu ni à aucun moment. Les Terriens qui ont le
tort d'être nés quelque part ont des engouements
millésimés, d'où sortent des déconvenues démo-
dées. Mon dépucelage eut pour cadre et motif le
tiers-monde – un nom obsolète, inventé comme
de juste par un Français (Alfred Sauvy), tiers
état oblige. Bandoeng, Giap, Frantz Fanon. Des
repères déjà oubliés. Bandoeng fut une conférence en Indonésie, Giap un général vietnamien,
ancien prof d'histoire amoureux de Victor Hugo,
et Fanon, un psychiatre et écrivain martiniquais
mort trop tôt. Paysannerie en armée de réserve,
encerclement des gras par les faméliques, les
gueux en vagues d'assaut : la grande lueur au
Sud, remplaçant, relayant celle de l'Est, déjà

éteinte. Les derniers dans le PIB par habitant
arriveront les premiers au paradis. Dans ces
années d'après-guerre, un petit Parisien faisait
un tiers-mondiste prédestiné, Paris demeurant
la capitale du tiers-monde. Dès l'entre-deux-
guerres, la Ville lumière avait été le point de rencontre des humiliés de la terre, étudiants pour
la plupart ; et la rive gauche l'endroit où l'âme
nègre avait pris corps, avec Joséphine Baker et
Senghor, où l'Étoile nord-africaine avait réuni
les premiers indépendantistes du Maghreb,
avec l'Algérien Messali Hadj et le Tunisien Bour-
guiba, où les gens des Caraïbes et d'Amérique
latine avaient découvert qu'ils n'étaient pas
des gens comme vous et moi, avec (encyclopé-
die derechef) le Haïtien Jacques Roumain, le
Cubain Mella, le Bolivien Alcides Arguedas, les
Péruviens Mariátegui et César Vallejo, le Mexi-
cain Vasconcelos, l'Uruguayen Carlos Quijano.
Dans la Ville lumière on pouvait rencontrer, au
6 villa des Gobelins, le frêle Vietnamien Nguyên
Quôc qui sous le nom d'oncle Hô allait plus
tard vaincre la France d'abord, les États-Unis
ensuite, ainsi que le Premier ministre chinois
Chou En-lai 17 rue Godefroy, et le président
Deng Xiaoping à Billancourt, à côté de l'usine
Renault. Ces noms ne te disent plus grand-chose,
et sans doute connais-tu mieux, à cause de ta
famille, ceux de Cortázar, Neruda, Vargas Llosa,
Depestre, García Márquez, Carlos Fuentes, et

de beaucoup d'autres qui firent encore de Paris, après guerre, la capitale de l'Amérique latine. L'étudiant sans le sou posant ses valises dans la pension de famille de la rue Cujas se mettait *ipso facto* à comploter contre son gouvernement (tu trouveras dans la même rue tous les documents sur cette époque dans la librairie justement nommée « Le Tiers Mythe »). Ces proscrits ou contumaces, poètes, romanciers, chanteurs, nouvellistes, devaient devenir vingt ans plus tard présidents – ainsi Juan Bosch en République dominicaine –, ministres, ambassadeurs ou tribuns de la plèbe, comme jadis chez nous le ministre Chateaubriand, le président Lamartine ou le sénateur à vie Victor Hugo. Ce qui relève pour nous du roman national, le mariage de la poésie et du portefeuille, restait une réalité dans le continent de García Márquez où le siècle de Victor Hugo refusait de rendre les armes. Je ne saurais trancher entre les deux compulsions concurrentes, inventer ou régner, et te dire si c'est une valse de caudillos baroques qui engendrait un réalisme merveilleux ou si l'imaginaire poétique y gardait encore assez de prestige pour envoûter les foules, mais ces noces contre nature m'ont longtemps servi d'étoile du Sud. Je fis inviter beaucoup de ces « gouverneurs de la rosée » à l'investiture de François Mitterrand, en mai 1981, l'année qui devait voir, non le passage de l'ombre à la lumière, mais l'inverse : celui de

la République des financiers à celle des romanciers, soit de la lumière des spots télé à l'ombre
des jeunes filles en fleurs. Et quand arriva à la
place le prof à collier de barbe, faute de grives,
on mangea des merles.

Reste, belle leçon, réfléchis-y, que la révolte
anticoloniale est née autant au Boul'Mich que
dans les champs de canne, et que la première
Ligue mondiale contre l'impérialisme a élu
domicile, en 1928, au cœur de l'Empire français. Bienfait des migrations, des exils et des
diasporas. C'est avec des « expats » qu'on fait
les meilleurs patriotes, non pas parce qu'on
recrute les militaires dans le civil, mais parce
que, comme dit Simon Leys, « on ne saurait
revenir sur soi sans avoir commencé par se porter ailleurs ». Ce monde parti en quenouille des
lyriques opérationnels, où le merveilleux et le
réel complotent de concert, comme il sied, je ne
l'abandonne pas puisque je fréquente les deux
endroits où il se survit : les bibliothèques et les
cimetières. À chacun son karma : l'appartement
parisien où le hasard m'a conduit avant ta naissance fut aussi, je l'ai découvert en conversant
avec lui, à Fort-de-France, celui d'Aimé Césaire
après guerre.

Tracts, grimoires ou poèmes, le papier im-
primé nous servait de ciment. Je me souviens
assez mal des messages très précis que le Che
me demanda, oralement, de transmettre à Fidel

Castro, son chef et ami, quand j'ai quitté le campement central, mais me reste encore en mémoire sa demande de lui rapporter, après ma tournée de recrutement dans les pays voisins et avec une étude sur la paysannerie autour de Santa Cruz, le *Decline and Fall of the Roman Empire* de l'historien anglais Gibbon (1737-1794). Je ne connaissais ce vénérable auteur que de nom (en France, c'est Montesquieu qu'on fait monter en ligne sur le sujet). Cela me posa aussitôt des questions de poids, volume, dimension. Comment et où trouver 1/une bonne traduction en espagnol et surtout 2/un format de poche. La perspective d'avoir à me coltiner, au retour, cette somme dans ma *mochila* m'a tarabusté. Cela peut sembler invraisemblable quand on connaît la suite des événements. Le Che avait son Neruda avec lui, mais comptait bien faire émerger dans le Sud-Est bolivien une base arrière stable où installer une petite bibliothèque, à la fois de poésie et d'histoire. Mon arrestation m'a déchargé peu après de ce souci matériel.

Sans y chercher des circonstances atténuantes (un adepte des destinées autogérées les jugerait plutôt aggravantes), décisives me semblent les *conditions initiales* d'une trajectoire. Tout homme a à répondre de ce qu'il est devenu, soit. Mais n'oublie pas les dates et lieux qui ont tout enclenché, l'engrenage qui s'enchaîne et nous enchaîne. Notre première sidération, quand nous avons vu notre premier mort, notre premier cul-de-jatte couvert de mouches sur un trottoir, le premier coup de matraque de l'occupant sur la femme enceinte... Sans se faire une rente viagère de la souffrance des autres, le fait est que le rideau, une fois levé sur tout ce que nous cachaient le piano et le salon familiaux, sera difficile à faire retomber : quoi qu'en dise le poète, les souvenirs sont cors de chasse dont ne meurt pas le bruit parmi le vent, et nous en avons tous un taux inéliminable dans le sang. Le fanion ou l'étoile qu'arborait le premier tank fonçant sur la foule dont nous fûmes le témoin colorent pour la vie nos verres de lunettes, qui nous feront plus tard des taies sur l'œil. De ce mini-Guernica hasardeux (fruit d'une commande journalistique, d'une amitié avec un réfugié, d'une bourse pour tel ou tel pays ou d'un béguin pour une belle étrangère) sortira une cosmographie passionnelle et tenace, un investissement amoureux sur tel ou tel canton de la planète, l'affect pouvant gagner l'intellect, si le voyageur a la tête un peu trop doctrinaire. Chaque Tintin sortant de chez lui se fabrique ainsi une Carte de Tendre, avec sa mer Dangereuse, ses lacs d'Indifférence, ses routes de Grand Cœur et ses bourgades de la Nouvelle Amitié, et ce sera son atlas pour la vie. Si, jeune journaliste, j'avais été en reportage en 1956 à Berlin-Est, ou en 1968, à Prague, j'aurais jusqu'à présent la Russie dans le collima-

teur ; comme s'être trouvé au Guatemala dans
les années 70, quand les conseillers militaires
américains ont parrainé un génocide indigène,
ou au Chili en 1973, lors du coup d'État orches-
tré par la CIA, classera les États-Unis dans les
usual suspects. Le salopard et le sauveur, cela
se joue aux dés entre dix-huit et vingt-cinq ans.
Cela peut d'ailleurs tourner à l'idée fixe, alors
que ces deux emplois ont propension à permuter
avec le temps, le colonisé se retrouvant en un
tournemain colonisateur, David, Goliath, et le
détenu, geôlier. Ces entorses au contrat initial,
on veillera à ne pas les voir car notre siège est
fait, et rectifier le tir est toujours déplaisant.

Tu auras un jour, je ne sais où, ta seconde
naissance qui t'arrachera au cocon domestique.
Nous n'en décidons pas plus que de la première.
Et c'est une veine, qu'on soit pour si peu de
chose dans notre vie. Cela laisse de la place aux
autres. Sache, pitchoun (« petit », en provençal,
c'est affectueux), que nul ne forge son identité
à soi seul, et que ceux qui t'appellent à être l'auteur de ton existence, en artiste du moi, sont
des égolâtres et des jean-foutre. « Pourquoi un
tableau ou une maison sont-ils des objets d'art,
mais non pas notre vie ? » se demande M. Foucault. Réponse : parce qu'un architecte est libre
de ses épures et de ses matériaux, et que l'artiste peintre peut choisir ses tubes chez le marchand de couleurs. Alors que, pour nous, l'air

du temps fixe le cahier des charges – à notre insu. En 1960, le fond de toile était rouge; il est passé ensuite au rose, puis au vert, et maintenant la bannière US étoile nos T-shirts. Chaque décennie sa dominante mais, en tout cas, la page n'est jamais blanche, et le moule jamais vide. Je procède d'une préhistoire où un as de la finance n'était pas fréquentable, et l'énarque un gogo qui s'était trompé de porte; où les plus ambitieux dans la jeunesse des écoles avaient en point de fuite, pour « vaincre le tumulte du monde », le travail à la chaîne chez Renault, le monastère ou les geôles. « Établi », ermite, « terroriste » façon Partisan – ou rien. Un triptyque où la taule, solution de facilité, était moins méritante que l'usine, laquelle ne valait pas une Chartreuse dans le Dauphiné. Était-il de mon cru, le programme dont j'ai appliqué la version *low cost,* ou n'ai-je fait qu'obéir à *l'ordre du jour*? Dis-moi, petit enfant gâté, dans quel coin de la planète et à quelle date un bon vent t'a fait tomber les écailles des yeux, Tel-Aviv ou Gaza, Los Angeles ou Tegucigalpa, Stockholm ou Johannesburg, et je te dirai quels seront tes démons et tes dieux, ces anges gardiens qui s'envolent plus vite que nous ne l'avons prévu et ne l'aurions souhaité. Né en 1920, assez tôt pour avoir vu Armagnacs et Bourguignons s'exterminer à coups de bombes incendiaires ou côtoyé toutes les nationalités européennes à l'appel

du matin sur la place de Buchenwald, j'aurais
encore les yeux de Chimène pour les compta-
bles fous de Bruxelles, qui enterrent méthodi-
quement le projet d'Union dont ils avaient la
charge.

Voilà qui devrait t'inciter, fiston, à une certaine indulgence et à t'interdire, dans les affaires
du jour, la montée aux injures et, sans accorder cinq minutes d'antenne au néo-nazi et cinq
autres à l'antiraciste, à ne pas tenir pour des
canailles les enfants d'autres circonstances (et
qui verront un crime de guerre patent là où
tu vois un dommage collatéral, et réciproque-
ment). Ne réserve pas nos *ismes* désobligeants
à qui ne porte pas tes couleurs, ne traite pas
d'idéologue celui qui aura eu d'autres amours.
Il y a assez de faits et de forfaits dans les infos
du matin pour alourdir le dossier de chaque
monstre doux ou froid aux prises avec son vis-
à-vis, pour décider lequel peut appuyer sur le
plus gros bouton. À ton contradicteur de l'autre
bord, demande d'abord où il traînait ses guêtres
quand il avait vingt ans, cela t'expliquera tout.
Les anciens de l'escadrille Normandie-Niemen,
ou leurs enfants, ne porteront pas les mêmes
jugements que ceux qui ont vu les GI arriver à
Paris en août 44, car il y a plusieurs géographies
dans une même histoire. Reste le mot de Napoléon rapporté par Las Cases : « C'est parce que je
sais toute la part que le hasard a sur nos déter-

minations politiques que j'ai toujours été sans
préjugés, et fort indulgent sur le parti que l'on
avait suivi dans nos convulsions. » Si cette sage
réflexion, me diras-tu, lui était venue à l'esprit
après le pont d'Arcole, et non à Sainte-Hélène, il
est probable que Bonaparte n'aurait pas tourné
Napoléon, et que le duc d'Enghien, fusillé sur
ses ordres dans un fossé de Vincennes, serait
mort dans son lit. Avantage de l'Aventin sur
l'actif au turbin : la clairvoyance. Rien ne sert
d'aller plus vite que la musique. Chez l'homme
de la rue aussi, la vie commence féroce et finit
bienveillante.

L'exil est l'école du patriote, comme la prison l'université du révolutionnaire, et j'attends
beaucoup de ton futur départ dans quelque
centre d'apprentissage à Shanghai ou à Singa-
pour. On ne sait jamais ce que réserve son retour
à l'enfant prodigue et quel étrange pays dans
son pays lui-même lui sautera au visage. Déjà,
mes pseudos en terres conspiratives, Danton
ou Fabricio, nationalisaient mine de rien l'in-
ternationalisme de ma paroisse. Les Caraïbes,
les *Llanos* et les Andes : tiers-mondiste appliqué (le moule scolaire), sûr d'avoir tranché le
cordon ombilical, je voguais inconsciemment
sous les trois couleurs. Le périple de vivre, c'est
bien connu, ramène au point de départ, comme
la révolution dans l'histoire d'un pays, fatalité
astronomique ; et le côté saumon, qui est géné-

rique, l'emporte toujours, *in fine*, sur le côté potache, « Fuir, ô là-bas fuir », et tout le tintouin. Beaucoup d'eau aura dû couler sous le pont Mirabeau avant qu'on se résigne à la remontée aux sources, tropisme neurochimique, humiliant aveu, mais apprends, en attendant, qu'il n'y a rien de tel pour découvrir son pays que de le déserter (le chemin de l'« Exote » latino émigrant au quartier Latin pouvant se prendre en sens inverse). Attention ! Ce dont je te parle ici, mon garçon, ce n'est ni le pays légal ni le pays réel mais le vrai, le seul, le pays intérieur, celui que nous ont faufilé les généreux faussaires du roman national (de Villon à Vialatte). Ils étaient d'autant plus fondés à l'inventer, cette nation-phare, qu'elle n'a pas de réalité. La France des soldats de plomb, des sonneries aux morts et des récitations sur l'estrade à l'école nous ayant fait la grâce de ne pas vraiment exister (sauf peut-être à Mourmansk ou à Lima), nous pouvons lui filer le train notre vie durant. La folle de Chaillot s'y entend pour nous décocher des œillades de loin, histoire de ranimer la flamme. Cette Marianne d'en dessous les paupières, de bons historiens épris d'exactitude m'apprendront plus tard que c'était une invention, mais si je l'avais su sur le moment, je serais resté dans ma case à cuire ma petite soupe au gaz de ville. Comme elle avait gravement péché, la marâtre, en mai 1940, dans le bagne de Poulo Condor, à

Madagascar, à Sétif ou dans la Casbah d'Alger, et j'en oublie, on ne serait jamais de trop pour un repêchage de septembre, en partant expier ces sales guerres sur quelque champ d'honneur alternatif. Le plus logique eût été qu'elle perdît son sang à demeure pour regagner son rang, mais les paras d'Alger n'ayant pas sauté comme promis sur Paris, où un godelureau les attendait de pied ferme, la guerre d'Espagne nous filerait entre les mains, Paris ne serait jamais Madrid assiégée, et force fut d'aller battre sa coulpe sous des tropiques hispanophones. Cilice, confrérie et discipline, c'est à verser au chapitre « les sources chrétiennes de l'Occident ». À mettre dans la liste « conditions initiales ». Le zombie catho n'est pas manchot. Il frappe au cœur, avec un direct du gauche.

L'embêtant fut l'irruption des autochtones dans cette histoire sainte. *Le* Peuple, c'est envoûtant, *les* peuples, ce l'est moins. et les envoyés des Damnés de la Terre, en Bolivie, en 1967, comme peu avant, au Congo, près des grands lacs, n'ont pas fait, en neuf mois, un seul recrutement local (hormis un courageux tuberculeux estimant qu'il n'avait plus rien à perdre). Les Guaranis ne comprenaient pas l'espagnol, ni les Cubains le quechua ; les recrutés de l'Altiplano n'étaient pas vraiment chez eux dans cette partie reculée, ingrate et dépeuplée du pays. Le volontaire de l'Internationale ainsi que son ennemi, l'Occidental en hélico, courent le risque de l'«acosmisme» comme Hannah Arendt appelle la «fuite dans l'histoire mondiale». Ils se croient à la maison à six mille kilomètres de chez eux, qu'ils soient porteurs de la Justice prolétarienne ou de la Libre Entreprise, mais c'est toujours à l'Indien du coin de dire oui ou non au missionnaire casqué; et quand le Protecteur qu'il découvre en chair et en os sur le pas de son gourbi ne parle pas sa langue, ignore sa religion, ses sentiers, ses vendettas, son riz, son maïs, son mil, la sympathie n'est pas au rendez-vous. Confidents de la Providence ou abonnés aux «opérations extérieures», ces intrus n'ont qu'un tort: oublier le péquenot de l'intérieur, qui n'a lu ni Karl Marx ni Milton Friedman. Imagine un Français (qui ne se savait pas tel) plongé, sans y avoir été invité, dans une affaire de famille à retentissement mondial, certes, mais en elle-même et sur place, parfaitement locale, jalouse et susceptible. *The place not to be.* Tu me demandes souvent ce que j'ai appris en Bolivie; je te réponds: priorité à l'indigène, en tout lieu et tout temps. L'étranger n'est pas le bienvenu. Trouble-fête, suspect, mercenaire ou espion. Le bouc émissaire idéal. Infaillible retour de bâton, vérifié en tout temps et tout lieu depuis que le monde est monde, qu'il soit rouge, bleu ou tricolore. De Gaulle lui-même, à la Libération, a donné trois jours aux admirables parachutés du SOE britannique venus armer et secourir nos maquis au péril de leur vie pour quitter le territoire. Et je ne te parle pas du sort réservé aux Brigades internationales en Espagne, aux républicains espagnols dans la Résistance française ni aux Juifs polonais, ni aux antifascistes allemands, ni aux volontaires venus d'Europe ou des États-Unis pour aider la Chine populaire après la Révolution et que la révolution culturelle a aussitôt jetés en prison comme agents infiltrés. La liste nous mènerait loin. Un conseil, non, une objurgation : là où il y a une bagarre en cours, débrouille-toi pour ne jamais être l'étranger. Je m'étais pris pour un Latino chez les Latinos, et pour un Cubain à Cuba. Quand un coup d'État de militaires progressistes m'a sorti de prison en Bolivie, j'ai été aussitôt accueilli à La Havane comme un héros, un frère, et y suis revenu fêter le Nouvel An avec mes camarades pendant presque vingt ans, mais du jour où j'ai rompu publiquement avec le régime, après le procès Ochoa et l'exécution d'un ami proche, la propagande officielle a fait de moi, sans ciller, un félon et un mouchard. Retournement stalinien, représailles classiques. Nos jacobins, sous la Révolution, ont procédé de même. Thomas Paine, champion anglais des droits de l'Homme, réfugié en France et nommé citoyen français par la Convention, s'est retrouvé en pleine fièvre obsidionale détenu à la Conciergerie, comme

contre-révolutionnaire. Un réflexe. Rien de nouveau sous le soleil.

Quand tu entendras le mot peuple, et tu l'entendras souvent, n'oublie jamais de demander
duquel on te parle exactement, car cette médaille
pieuse a un envers et un endroit. On ne compte
plus le nombre de colloques, discours, thèses,
antithèses et synthèses consacrés au gouvernement du peuple par le peuple et pour le peuple,
baptisé Démocratie. Qui peut être contre ? Mais
si tu vas à la source, le dictionnaire grec, excuse
la cuistrerie, tu verras qu'un même mot peut se
dire en deux sens. Il y a *demos*, les habitants d'un
territoire, la masse de la population, les gens de
peu par opposition aux gens de bien(s) ; et il y
a *ethnos*, toute classe d'êtres, tribus, race ou
nation ayant même totem, même plat national
et mêmes diphtongues imprononçables. Chez
nous, deux familles se sont divisé le travail. La
droite se charge de l'*ethnos*, la peuplade, pour
préserver le génie de la nation, et la gauche,
du *demos*, le populo, pour abolir les privilèges.
Le duo se décline à l'envi : *logos* contre *mythos*,
droit contre tordu, fade contre épicé, limpide
contre trouble, et ainsi de suite. À gauche, la
société sans la nation, sans les poètes et sans
Jeanne d'Arc. Elle fait l'affaire des sociologues,
des socialos et des juristes ; à droite, la nation
sans la société, et sans lutte des classes. Elle
fait l'affaire des décorés, des aèdes et des anti-

quaires. Chacun son filon, et son trou noir. La filière *demos* oublie la fierté qu'a toute personnalité collective de paraître et de se sentir unique, en chérissant sa différence. La filière *ethnos* oublie l'eau et l'air, ces biens communs, et les règles de droit qui obligent Pierre et Paul. Le général de Gaulle trop à droite pour la gauche, trop à gauche pour la droite, ayant su réunir les deux moitiés du programme, la souveraineté du peuple en France et celle de la France dans le monde, sa figure jouit à ce titre d'une *aura* justifiée, parce que partout ailleurs, dans le paysage, c'est fromage *ou* dessert.

Dans ma Belle Province, où il y avait eu jadis un peuple, le ressourcement fut difficile, car si les sociologues m'instruisent, les historiens m'émeuvent. Je trouvai, de retour en France, beaucoup plus de société que de nation, la première exultante, toutes minorités dehors, la seconde, le chic et choc n'étant plus de son côté, se planquant dans les embrasures pour éviter les quolibets. Le pays en avait confié la garde à quelques buttes-témoins, le Petit Robert, Saint-Cyr, les Classiques Larousse, le dôme des Invalides, Gallimard, le Moulin-Rouge et la Comédie-Française. Ces garde-meubles avaient du lustre, certes, mais qui parlait en France de la France, un nom que les jeunes ont cessé d'utiliser – quand ils ne le trouvent pas « nauséabond » –, suscitait après Mai 68, chez les gens au parfum, un discret haut-le-cœur. Un gaulliste d'extrême gauche (tradition Lazare Carnot et Rossel, l'officier patriote de la Commune de Paris) se sentait mouton noir au beau milieu de ces citoyens cosmiques. Que le Christ des nations n'ait plus grand-chose d'autre à offrir à l'humanité souffrante que du roquefort, des flacons de parfum et du mouton rothschild ne pouvait que le vexer. Ce que ce dépit comportait de naïveté et de fatuité, je ne le saisissais pas encore. Je ne me demandais pas quelle raison aurait eue le doigt de Dieu de se poser sur notre Hexagone – 1 % de la population mondiale, 3 % de son chiffre d'affaires – plutôt que sur le Salvador éternel, la glorieuse Tchéquie ou l'immortelle Biélorussie. Il eût été plus avisé de saluer le *packaging* qui parvenait à écouler sur le marché international nos productions locales, sous l'appellation accrocheuse de *french theory*, *french doctor*, *french fries* et *french touch*. Que soupirer en respirant le parfum d'un vase vide ne serve strictement à rien qu'à de fastidieux lamentos, je le sais à présent. Assez pour te supplier de faire la sourde oreille aux dégoûtés de la France moisie, toujours prêts à accuser un « grand cadavre à la renverse » d'avoir manqué à ses obligations quand elle n'en a contracté aucune puisque c'est nous qui l'en avons lestée sans qu'elle y soit pour rien. J'avouerai seulement une certaine envie pour les exilés qui, au soir d'une existence tiraillée entre des causes improbables (le fond de ce que nous sommes, et à quoi nul n'échappe, met du temps à affleurer), peuvent trouver orgueil et réconfort en retournant auprès des leurs, souvent sans gêne et de mauvaise foi mais tellement sûrs de leur bon droit qu'ils peuvent dire merde au monde entier, *right or wrong my country* : mes amis séfarades, mais aussi basques, corses, arméniens ou iraniens n'ont pas besoin de grands discours pour s'en retourner à la maison, y couler leurs derniers jours, comme qui boucle la boucle. Un animal sans autre paradis perdu que le Val de Loire doit se donner du mal pour faire de son terroir sa rédemption au loin, mais c'est normal car on ne peut tout avoir, l'épanouissement personnel pour doctrine de vie et le retour au bercail pour les soins palliatifs.

Si tu devais en tout cas filer côté Sciences-Po, pour monter dix ans après dans une limousine de fonction aux vitres fumées, épargne-toi les examens probatoires, thèses et ratiocinations diverses. Je te répète que la raison raisonnante n'a que faire dans un domaine d'activité parfaitement irrationnel. Tu peux m'en croire. J'ai rédigé *La Critique des armes*, deux tomes (1974), une autocritique détaillée et documentée du *foquisme* (la théorie du foyer guérillero d'avant-garde que j'avais exposée dans *Révolution dans la Révolution*, en 1967). Aucun effet, prévaut toujours la cantilène, *El mañana es nuestro*,

compañeros. Dans une *Lettre aux communistes
français* (1978), je m'étais permis de leur indiquer qu'à force de prendre un instrument, le
Parti, pour une fin en soi, on va dans le mur. Et
ils sont allés dans le mur. Peu après, deux volu-
mineux volumes, *La Puissance et les rêves* (1984)
et *Les Empires contre l'Europe* (1985), tentaient,
l'un, une critique de l'*Irrealpolitik* des droits de
l'Homme, et l'autre, un dégonflage de la menace
soviéto-totalitaire largement surestimée. Des
pets de lapin sur une toile cirée. Ces ouvrages
presque navrants de réalisme furent rapidement
mis au pilon ; et les exemplaires qui me restent,
entassés dans ma cave, les libraires d'occasion
hésitent à me les racheter au poids.

Le plus drôle est que je n'aurais rien à re-
trancher à ces invendus invendables, même
défraîchis ; les ayant relus, je pourrais les dater
d'aujourd'hui, tant l'événement les a confirmés.
Ainsi de mon moins mauvais pensum, et de loin,
Tous azimuts, un rapport à la Fondation pour
les Études de défense nationale sur ce qu'aurait pu et devrait être une défense européenne,
à partir d'une réflexion sur le nucléaire tac-
tique (le missile sol-sol Hadès, 480 kilomètres
de portée), où se trouve consigné, en 1989, « le
véritable péril de demain, la combinaison d'un
archaïsme religieux ou tribal et d'une technolo-
gie ultramoderne ». J'évoquais un très probable
contournement de la dissuasion nucléaire par

des « attaques non conventionnelles sous le contrôle indirect d'aucune superpuissance, donc difficiles à circonvenir par le biais diplomatique et dont la logique ne sera pas la nôtre, car dès que la mort est jugée souhaitable ou rédemptrice, il n'y a plus de dommages inacceptables ». Ben Laden a dû se faire cette réflexion, mais non, je précise, à la suite de ce pronostic, ma sphère d'influence n'ayant jamais outrepassé les murs de mon bureau. Je comprends pleinement cette jeune compatriote qui, bardée de thèses et de diplômes, et sollicitée pour prendre la tête d'une entreprise publique, un beau poste, a fini par accepter sur ces mots : « J'en ai assez d'avoir raison, maintenant, je veux réussir. » Deux bonheurs inconciliables, mais que les plus chanceux ont pu étaler dans le temps. Au cas où tu voudrais malgré tout participer aux destinées humaines en accélérant le redressement de notre pays (déjà bien entamé par Clovis), évite de te faire confier la rédaction d'un rapport par l'Autorité de passage. C'est neuf fois sur dix un hochet destiné à calmer notre soif d'importance, et qui, passé la remise devant la presse au président ou au ministre – sans photo, pas d'événement –, s'il évite le sac-poubelle du lendemain, ira rejoindre le tombeau du Rapport inconnu. Le ministre suivant demandera d'ailleurs à une autre fine lame, sa « com » oblige, le même travail sur le même sujet, six mois après :

il était trop occupé pour ouvrir l'armoire de son bureau.

Tu ne renforceras pas non plus ta panoplie en te mêlant à ces prises de bec, ces *battles* à répétition auxquels se livrent au moindre coup de chaud mes collègues et confrères. Tu économiseras tes forces en fuyant ces algarades chronophages et de peu d'effet – tribunes, pétitions, face-à-face, lettres ouvertes – qu'impose aux sections d'assaut du quartier Latin le salut du genre humain. Elles s'oublient d'une semaine à l'autre, et tu peux en délester par avance ton futur agenda. « La politique n'est pas une activité sérieuse pour l'esprit », me répliqua un jour Julien Gracq, vertement, quand j'évoquais devant lui je ne sais plus quel tour de manège électoral. Un euphémisme. Vouloir refiler des idées à une profession où la logique des idées le cédera tôt ou tard à la logique des forces me paraît masochiste. Si je te semble trop deuxième main pour en juger, sache que des esprits bien plus autorisés sont arrivés aux mêmes conclusions sur « ce brouillamini d'erreurs et de violences » (Goethe), « la conjuration universelle du mensonge contre la vérité » (Talleyrand), « le produit le plus dangereux que la chimie de l'intellect ait élaboré » (Valéry). La palme d'or de la synthèse revenant comme d'habitude à Shakespeare. L'Histoire ? *A tale told by an idiot full of sound and fury and signifying nothing,*

le décisif étant ici *idiot*. Quand je me retourne
sur le peu d'événements notables dont j'ai eu à
connaître chez nous, en comparse ou factotum,
ce n'est pas le « tous pourris » qui me vient aux
lèvres mais un « les cons ! » de Daladier débar-
quant au Bourget en 1938, après les accords de
Munich, et découvrant des Parisiens enthou-
siastes le remerciant d'avoir pu décrocher une
paix éternelle. La mode est à la dénonciation
des turpitudes, castels et mains baladeuses du
notable. Elle a beau faire mouche, elle manque
le fin mot du truc, le bébête. Le monstre froid,
c'est moins Belzébuth que Totoche, comme
Romain Gary appelle le dieu de la bêtise, avec
son derrière rouge de singe. Il est assez finaud
pour envoyer la Grande Armée ou la Wehrmacht
se perdre dans l'hiver russe. Ou un corps expédi-
tionnaire faire du *nation building* en Afghanistan, casser l'État irakien, armer les islamistes
en Syrie, etc., sans prêter la moindre attention
à la langue, aux mœurs et à l'histoire. Avant de
lancer ses missiles sur Bagdad, sous les applau-
dissements de notre intelligentsia la plus comba-
tive, le président Bush, entendant un conseiller
évoquer la présence de « chiites », s'exclama :
« Mais de quoi vous me parlez, je croyais qu'il
n'y avait que des musulmans en Irak. » Et l'on
reste admiratif devant les subtilités déployées
par nos *think tanks* pour justifier un manque
de jugeote qui ferait éclater de rire un enfant

de sept ans. Il est clair que, pour faire le job, il faut accepter d'être bête, ou de faire la bête. Les emballements d'opinion qui terminent en crépuscule des dieux débutent le plus souvent sur de l'Offenbach ou du Feydeau. La légèreté, par exemple, avec laquelle s'est enclenchée la récente et catastrophique intervention franco-britannique en Libye (2014), vue de près, avec son mélange de bobards, intox et bombements de torse, relève d'un vaudeville. Le plus drôle est qu'il nous faille commenter savamment les faits et gestes de bonshommes inconsistants, qui ne retiendraient pas une minute l'attention sans un titre de ministre ou de président, le secours d'un *jingle*, une sirène et des motards. Alors que la bêtise est le fort des hommes forts, et qu'il y a là comme une grâce d'État indispensable à la fonction, à quoi sert-il d'argumenter sur des fumisteries ? Les féeries qui dopent notre coureur de fond, chaque siècle la sienne – Royaume de Dieu, Société sans classes, États-Unis d'Europe, Nouvel Ordre international, Concurrence libre et non faussée, etc. –, font de nous des ânes bâtés, zéro sagacité, mais des ânes pleins d'allant, 20 sur 20 en vélocité. Et ceci compense cela. Tous en marche, les petits gars, mais ne me demandez pas trop où nous ferons halte ce soir. Au reste, si les opiums du peuple successifs n'étaient d'aucune utilité, une espèce utilitaire et près de ses sous comme la nôtre en aurait depuis longtemps interdit la mise en circulation et il n'y a pas apparence. Vaut-il mieux s'aérer en prenant des vessies pour des lanternes ou croupir sur place avec discernement ? Pour ma part, je salue toutes ces carottes motrices car la carcasse est paresseuse et la convaincre de reprendre la route après tant de mauvaises chutes mérite le respect. Le passé d'une illusion à peine dénoncé et rejeté derrière nous qu'une autre arrive, insoupçonnable, pour relancer l'affaire. Non, docteur Freud, incurable est la névrose infantile, et, pour bardée d'objets connectés et d'intelligence artificielle qu'elle puisse être demain, l'humanité, c'est fort à craindre, ne connaîtra pas de répit dans le registre carottes. Il n'est pas impossible, divan et molécules chimiques aidant, de guérir d'une enfance personnelle, mais je ne vois pas comment une espèce active et proactive, désireuse de « soulever des montagnes » et y réussissant parfois, pourrait se défaire d'un besoin compulsif de grosses et bonnes blagues (vaste gamme qui va du sublime au trivial, de l'ange Gabriel au programme de législature).

Fiston, mesure bien ta chance. Rien ne t'oblige. Malgré nos tueries sporadiques, la période est clémente dans nos parages, et la police nationale ne jette plus par dizaines les musulmans dans la Seine, comme jadis, durant une certaine nuit d'octobre. Sans doute la guerre est-elle l'état normal du monde, et la paix, un intermède ou un euphorisant des plus casse-gueule. Que tu n'aies pas à faire un service militaire est une disgrâce, mais passons : dans la transition adolescent-adulte, tu as des libertés dont je ne disposais pas à ton âge, car on vivait le plein emploi. À seize ans cependant, découvrir que mes compatriotes pratiquaient, au nom de l'Occident libre et chrétien, la torture en Algérie – avec le feu vert de ministres socialistes (dont le gène colonial devait résister à toutes les interventions) – n'incitait pas à l'astronautique ni aux poèmes en prose. Ma sous-section « éthique et déontologie » aurait défilé sous mes fenêtres en me lançant des noms d'oiseau si, à la fin de ma scolarité, je m'étais désintéressé des barricades d'Alger et des bras de fer entre nos deux K, Khrouchtchev et Kennedy. Nul crime d'État, à ce jour, pour te forcer à poursuivre sur une voie qui ne débouche pas. Songeant à tel père tel fils, tu m'as donné des frayeurs quand je t'ai vu faire de la température devant la télé, lors des dernières présidentielles. Le psychodrame tirant en longueur, troublant la paix des ménages et rendant le dîner en ville plus risqué que d'habitude, l'apparition, chez une bonne nature, des premiers symptômes cliniques sur un enjeu aussi limité n'a pas peu compté dans ma décision de lever le secret médical, comme je le fais ici. J'ai craint mes fièvres d'antan génétiquement transmissibles, sachant d'expérience qu'il est toujours plus facile d'épouser une lubie que d'en divorcer – et combien douloureuse peut être une séparation de corps. Chaque époque a ses portillons que les cadets poussent sans y penser parce qu'ils ont vu s'y bousculer les aînés qui leur servent de modèles. C'est ainsi qu'à la mienne on devenait petit soldat, comme moinillon au Moyen Âge, ou de nos jours *start-upper*, pour la simple raison qu'on voit leur bobine en couverture, ou leurs Mémoires en devanture. Le portillon se referme derrière nous, et nous voilà coincés jusqu'à la fin de nos jours dans un rôle qui n'était pas notre genre.

N'en déplaise à ta prof de philo, mon cartésien en herbe, ce que nous avons de plus réfléchi en nous, sache-le, n'est pas notre part la plus tonique ni la plus calorifique, et le bon sens, « la chose au monde la mieux partagée », est aussi la chose la plus stérile. Si nous n'avions pas d'autre source d'énergie, nous ne pourrions que négocier au jour le jour la déprime, chacun pour soi, comme dans un naufrage. Ce qui nous rassemble est ce qui nous dépasse, mais ce qui nous dépasse n'a souvent ni queue ni tête. Les valeurs de communion valent bien, me semble-t-il, quelques bévues intellectuelles. Je te souhaite de croire en quelque chose, et pas seulement d'accumuler des connaissances. On ne sort des clous qu'avec un indémontrable chevillé au corps et si tu veux pouvoir aller jusqu'au bout de toi-même, préserve en toi la part du feu, je veux dire d'une foi, d'une ferveur, d'un élan. C'est le combustible dont nous avons besoin pour quitter l'ordinaire, en toute irresponsabilité. Cela t'augmentera et te rajoutera de la vie – quitte à l'écourter. Judicieux, soit, mais prudent, évite. Ton père a peut-être déraisonné en croyant dans la Révolution, ce genre d'heureuses surprises qui finissent toujours plus mal qu'elles ne commencent, et qui, sur l'instant, requièrent beaucoup de discernement. Mais sans cette pipette de vitamines, je n'aurais jamais pu mettre un pied devant l'autre. Comme lorsque je grimpais, à l'automne 1966, tout seul, vers l'Alto Beni, au nord de La Paz, envoyé par Fidel pour repérer le meilleur endroit où pourrait atterrir le Che retour du Congo, quelques mois plus tard. Je n'ai rien fait de mieux dans ma vie, et je n'y serais jamais parvenu si je n'avais pas été convaincu, pendant deux ou trois semaines, sac au dos sur les sentiers andins, de tenir l'avenir du XXe siècle au bout de mes jumelles, c'est-à-dire le site où allait prendre place sous peu un foyer guérillero qui gagnerait de proche en proche les pays voisins, renverserait le rapport de forces avec l'Empire au sein même de l'hémisphère et offrirait enfin au monde l'exemple d'un socialisme rédimé par l'air pur des Andes, qui ferait oublier la malfaçon des steppes. Comment aurais-je pu, sans léviter un tantinet, pénétrer dans les casernes,

photographier en douce les cartes d'état-major,
décompter les fusils-mitrailleurs aux râteliers,
faire ami-ami avec le patron nord-américain
d'une mine d'or, tout en relevant le plan des ins-
tallations ? Un type plein d'enthousiasme en vaut
deux, qui n'ont que leur comprenette à disposition. Oui, ce petit exalté était bon pour la cami-
sole et le cabanon, mais qui croit en quelque
chose *se* croit lui-même beaucoup plus qu'il
n'est, condition du succès. Pour se donner une
chance, rien de tel que se monter le bourrichon.

Je me dois de te préciser que cette explora-
tion que je croyais cruciale n'aura finalement
servi à rien, le Che n'ayant vu mon rapport de
mission avec cartes et photos qu'au moment
de quitter La Havane, quand d'autres camarades, croyant bien faire, avaient déjà choisi
une tout autre zone d'implantation, à l'extrême
sud du pays –laissant le nord bolivien pour un
deuxième front. C'est celui-là dont j'étais censé
devoir m'occuper en quittant le premier. Selon
l'idée qu'il y a toujours quelque chose à aména-
ger pour après. Nécessaires sont les œuvres, dit
le protestant, mais elles ne construisent pas à
elles seules le Royaume. Dont acte. Il faut croire
à l'impossible pour après chaque gadin vouloir
se remettre en selle.

Et pour ce faire, pauvres de nous, bienvenus
les réducteurs d'incertitude. Quand de libres
élections il s'agit, comme chez nous, on peut

remplacer la mystique par la statistique. Tu
mises sur un candidat comme au tiercé, c'est
la glorieuse incertitude du sport ou du Pari
mutuel urbain. Les convictions, dans ce jeu de
hasard, deviennent plus qu'inutiles, gênantes.
Pour le bon cheval, le flair suffit. Notre démocratie représentative économise le combustible
spirituel, et lui préfère le calcul de probabilité.
C'est un peu suisse mais plus sécure. Un progrès
de civilisation dont tu aurais tort de te plaindre.

Crois bien en tout cas qu'on peut refermer
le volet «bisbilles dans Landernau» sans ran-
cœur ni délectation morose. Et même en remerciant les acteurs de notre *commedia dell'arte*,
tous au coude-à-coude, des distractions qu'ils
nous procurent. Nous vivons une époque où
on ne sait pas quel métier on fera dans cinq
ans, et tous les métiers ont leur pittoresque et
leur patois. Passer, en spectateur, d'une piste à
l'autre relance l'intérêt. Le show-biz mastique
sa langue de nougat : «Rien n'est plus impor-
tant que l'amour», «Mon partenaire dans ce
film est merveilleux», «J'adore la vie, l'équipe
était magnifique, et ce fut grandiose, un honneur que d'avoir participé à cette fantastique
aventure». En veut-on aux vedettes pour les clichés de la promo, les hyperboles de nature? Et
aux ministres en tournée, pour leur langue de
coton? Cela me rassure d'entendre les bouches
autorisées nous rappeler que «nous vivons dans

un monde complexe», que «la France est une grande nation culturelle, dont nous devons être fiers», ou encore, «je vais vous dire une chose: je crois dans le droit au bonheur». Il m'arrive de couper le son au 20 Heures, à la télé, pour une petite partie de karaoké, et c'est toujours un soulagement d'apprendre qu'un tel «caracole en tête», que l'autre «campe sur une ligne dure», que le troisième «veut faire bouger les lignes» et le quatrième «siffler la fin de la récréation». *The show must go on*, et s'il est vrai que les choses en politique vont toujours mal, le déroulé admet quelques surprises, même quand il prône, comme à présent, le fluide, et le doux, sous le mantra obligé «partage, ouverture, diversité». Les «grands serviteurs de l'État» – une espèce menacée, bien plus que les abeilles – m'ont laissé par ailleurs un souvenir plein de compassion comme on doit en avoir pour les archevêques d'une Église en voie d'extinction. Il se cachait là, sous le costume trois-pièces, de forts caractères comme on en trouve chez les cardinaux et les magistrats, effacés sous l'uniforme de fonction. Le personnel impersonnel de la haute administration – diplomates, préfets et services secrets – fait un heureux contraste avec le music-hall des m'as-tu-vu en piste. Ne moquons pas trop l'anonyme noblesse d'État. Elle fait partie de ces Atlantide qu'on rougit d'avoir stigmatisées pour faire chorus avec le radical-chic qui a l'art de transformer en science son défaut d'expérience.

Toi qui me répètes que je dois « positiver » (un *must* chez les Galloricains de ton âge), je puis t'assurer que je ne garde pas mauvais souvenir, en France, des palais où renards et grenouilles feraient presque regretter les fauves des anciennes Républiques – je reste un ami des bêtes. J'en ai retiré une admiration certaine pour nombre de grands commis, hommes et femmes bien plus expérimentés que moi. Comme je préfère les croyants à leur credo, les communistes au communisme, les radicaux au cassoulet ou les protestants à la prédestination, pas besoin d'adhérer à la doctrine pour saluer les personnes. Je ne te ferai pas non plus le coup de la « tentation de Venise », le plus sinistre de nos hôtels de charme, qui nous met sous le nez l'Europe de demain vue par des escadrons de touristes chinois : un arsenal déchu en galerie d'art, trattorias et pont des Soupirs. Lever le pied ne signifie pas tourner casaque. On peut enfiler un pardessus correct à souhait – modernisateur, libéral, européen, écologique et solidaire – en gardant son marcel par-dessous. Les marranes ont à peu près tenu le coup en Espagne pendant plusieurs siècles sans se faire prendre, les républicains peuvent aborder calmement la traversée du désert qui les attend. Ce n'est pas parce qu'on affiche son hostilité au pétrole, au gaz de schiste et au CO$_2$, et une irrépressible empathie pour la finance verte, qu'on amène les trois couleurs ou le drapeau rouge. On les garde en dedans, pour le cas où.

Quant à toi, s'il s'avérait que tu n'aies pas les qualités professionnelles d'une tête de liste ou d'un as du pipeau, je ne t'en voudrais pas. Ces vertus s'appellent des vices partout ailleurs : retors, bluffeur, arrogant, indifférent aux souffrances des autres et fort peu fidèle en amitié. J'aurais simplement voulu, si tu ne résistais pas à la tentation, t'épargner la nécessité d'un apprentissage, ou plutôt l'apprentissage des nécessités auxquelles doit se plier *homo politicus*, quand se fendre d'un bulletin dans l'urne de temps à autre ne suffit pas à son sens civique. Si tu veux tout savoir, le vice de fabrication qui m'empêchait de m'impliquer franchement consiste en une incohérence. Je tiens qu'il faut voir et dire le monde *tel qu'il est*, sans valeur ajoutée, pour être honnête avec soi-même et les autres, mais qu'il faut le voir *tel qu'il n'est pas* pour oser le changer, et y instiller un peu plus de justice. Problème. De même, j'estime qu'il faut le courage de frayer avec les puissants et les calculs de puissance pour éviter le fatal « malheur aux vaincus », mais qu'on ne peut manquer de s'avilir et de s'abêtir en rejoignant le camp des vainqueurs. Problème encore. Dégoût de l'impuissance, dégoût du pouvoir. Le « en même temps » m'échappe. Ce à quoi me force l'esprit critique contredit ce que devrait me réclamer la mystique sans laquelle rien de concret ne s'est jamais fait sur cette fichue planète. Ce *double bind* vous rend très malheureux ou très maladroit, ce qui revient au même.

En être sans en être : à l'impossible nul n'étant tenu, il est sage, avec ce genre de handicap, de se retirer de l'arène pour gagner les gradins, et laisser les gladiateurs à leur bac à sable. Sans honte ni fierté particulière.

J'ai beau m'être juré de ne pas laisser passer une occasion de m'abstenir, il y a du laisser-aller, tu en es le témoin. Je pourrais le justifier au nom du droit de se contredire, l'un des plus précieux droits de l'Homme. Ou celui d'arriver en retard comme les gendarmes sur les lieux où l'ivrogne vient de prêter serment. Je préfère évoquer le tempérament, dans mon cas, désespérément « de gauche », lignée Aragon et Ferrat. « Alors, c'est quoi, ton camp ? » m'as-tu demandé hier en m'accompagnant à la mairie. Tu m'as vu passer mi-perplexe, mi-rigolard devant les panneaux des candidats alignés sur la place du village, et mes allées et venues ne t'ont rien dit qui vaille. J'aurais aimé, à vrai dire, glisser deux bulletins dans l'urne, c'est impossible et c'est bien regrettable. Scrutin majoritaire à deux tours. Le premier, on choisit, le second, on élimine. Mais qui va éliminer ? Mon corps, j'entends par là mon caractère, mon histoire. Je me souviens, Sorbonne années 50, d'un manuel de psychologie vivement recommandé, préparant au certificat de licence du même nom, qui opposait les longilignes aux trapus (appelés, pour faire savant, sciences humaines obligent, *leptosomes* et *pycniques*, de *leptos*, allongé, et *puknos*, ramassé). Faut-il en sourire ? Pas sûr. Ariel et Caliban ont chacun un physique, dans *La Tempête* de Shakespeare et tout autour de nous. Côté philosophes aussi, les amis du Ciel sont plutôt du genre asperge (mon collègue Badiou, filière Platon) et les amis de la Terre, du genre râblé (mon maître Dagognet, filière Aristote). La taille moyenne, qui se faufile entre les deux, tire vers un gris peu glorieux, qui tournera perle ou anthracite sans nous demander notre avis. Pas plus que je n'ai choisi d'aimer les filles et non les garçons, je n'ai choisi ni la couleur de mes yeux ni ma dominante yin ou yang. Je sais bien qu'il faut les deux pour faire un humain comme une planète, que la nuit et le jour, le ciel et la terre, le chaud et le froid, l'humide et le sec font la paire. Nous avons notre part féminine, le yin, l'inconscient, le nocturne, et notre part masculine, le yang, le volontaire, le prétentieux. Chaque individu a sa grosse larme noire et l'autre blanche – mais il y en a toujours une plus grande que l'autre, ce qui fait qu'on est câblé gauche ou droite, tout en ayant, hélas, un pied de chaque côté, en sorte qu'on glissera finalement

tel bulletin plutôt que tel autre – le *on* étant le
petit bossu qui manigance dans notre dos et n'en
fait qu'à sa tête. Le mollusque est bivalve, l'avion
biplan, l'inventif bisexuel et l'infortuné bipolaire
– soit. Doubles nous sommes tous, mais jamais
cinquante-cinquante. Ça penche d'un côté, aucun visage, si grec soit-il, n'est symétrique, on
joue social ou libéral pour la même raison qu'on
a un œil plutôt qu'une oreille, ou l'inverse, et
qu'on sait distinguer d'emblée la bonne de la
mauvaise peinture, ou bien la bonne de la mauvaise musique. Les deux cordes au même arc,
c'est aussi rare qu'un hermaphrodite ou un critique d'art couvrant à la fois, dans son journal,
arts plastiques et musique classique. On a beau
me dire qu'aux États-Unis il y a déjà, en attendant de nouveaux entrants, des toilettes à trois
portes, *ladies*, *gentlemen* et *others*, je doute que
cette prévenance puisse venir à bout des partitions un peu bébêtes de la Nature, à l'existence
desquelles, que les transgenres, transfrontaliers
et transcourants me pardonnent, j'ai dû me
résigner, en fin de compte. J'aurais certes aimé
pouvoir m'élire moi-même à la proportion-
nelle, pour des majorités de coalition qui chan-
geraient selon l'ordre du jour et les questions
traitées. Politique intérieure : gauche toute, « on
fait cracher les riches et on redistribue ». Politique économique : centre, « il faut bien, avant
de la redistribuer, créer de la richesse », donc

des patrons, qui tireront la couverture à eux, et des salariés, qui paieront la TVA. Politique étrangère : droite vieux jeu, « qu'on ne vienne pas piétiner nos plates-bandes ni nous forcer la main, je ne suis pas forcé de vous ressembler ». J'aurais aimé m'en tenir à du neutre, de l'incolore, du pondéré mais le yang parle plus fort, sans faire taire le yin. Le bulletin de vote tombe d'un côté, non sans s'interroger, jamais sûr d'avoir fait le bon choix. Il devine qu'un autre eût été possible si la boule d'ivoire à la roulette des randonnées était tombée dans le godet noir au lieu du rouge, si le charter, à vingt ans, avait été pour l'Amérique du Nord, celle des *winners*, et non pour son parent pauvre du Sud, la fiancée du malheur. Je n'aurais pas raté le coche et manqué le virage sur l'aile de l'esprit d'Occident, direction Katmandou, quand les hippies, au milieu des *sixties*, ont lâché Prométhée et Jésus pour le Dalaï-Lama. Et, dans la foulée, l'ancestrale éthique de l'effort et du travail, où l'on ne comptait pas sa peine, pour cette économétrie du bonheur où toute contrariété a son tarif et son indemnité. En dépavant les rues de Paris, mes camarades soixante-huitards ont découvert la plage, et qu'il vaut mieux, pour jouir du soleil, se passer de crucifix. Sur l'autoroute qui conduit du Golgotha au salon de massage thaï, quand on a raté un virage, pas facile de redresser le volant. Accorde-moi les circonstances atténuantes.

Le hasard, dit-on, est la «rencontre de deux séries indépendantes», le mauvais caractère qu'on doit bon an mal an assumer et la bonne occasion qu'on peut ou non saisir aux cheveux, l'inné et l'acquis, le *fatum* et le *kairos* – dispute théologique que je n'ai pas les moyens de trancher. Je me garderai donc, quoi qu'il en soit, d'épancher du jus de cervelle sur un supposé sens de l'Histoire ou toute autre divine et fatidique Nécessité.

À quoi bon spéculer? Ce qu'un coup de cœur un jour a fait de notre vie, un coup au cœur le défera, à l'improviste, sans prologue ni postface.

IV

Il existe une autre carrière possible, sans coupe-file ni carte tricolore, mais bien moins précaire et à laquelle peut prétendre un bon niveau éducatif. Je m'en voudrais de ne pas t'en parler. Le capital-risque y court fort peu de risques : « intellectuel engagé ». Je t'imagine mal devenir un « acteur incontournable des nouvelles technologies et de l'e-commerce », mais un « acteur de la scène intellectuelle », formule maison, bien au chaud, ce serait dans la veine locale. Regardes-y à deux fois cependant. Ayant décidé de ne rien te cacher, permets-moi, là aussi, un rapide *debriefing*.

J'ai enfilé la défroque en rentrant au bercail dans les années 70, de mille neuf cent. Mains à charrue, à kalache, à plume, on n'était pas encore sortis du siècle à mains, et tenir un stylo m'était plus doux qu'un AK-47. Les dieux, cette fois, me seraient tout sourire : la partie se jouerait en famille, entre ennemis de même ascendance, mêmes trous de mémoire, mêmes sous-entendus, mêmes couteaux à poisson. Fort d'un brin de réputation, le vaguemestre des peuples insurgés poursuivrait sa mission à domicile, avec attaché-case, cravate et discours en trois points, environnement oblige, mais sans rompre ses vœux : la « culture du débat », c'est encore de la guerre pour temps de paix, du lin candide enfilé sur un treillis. Enjeu de ces luttes de préséance : gagner en *influence*. Le mot fait florès, nos sciences politiques restant très proches des magies primitives. Il désignait au Moyen Âge, où il fut inventé, le flux provenant des astres qui agit sur les hommes et les choses, fluide impalpable dont l'existence n'a pas été vraiment démontrée depuis, mais dont s'occupent nos industries culturelles. Rebaptisé *soft power* par notre métropole, ce magnétisme réservé aux nantis console des vigueurs enfuies. Aussi notre officialité a-t-elle pu requalifier la France, en état de faiblesse musculaire, en « puissance d'influence » – sans qu'on ait à se demander sur qui, par quelles voies et à quelle fin.

Disons que lorsque A fait faire à B ce que B n'aurait jamais pensé à faire tout seul, A mérite d'être qualifié d'homme ou de femme d'influence (A pouvant être Raspoutine ou conseiller spécial, B tsar ou président). Ce titre, je te l'avoue, m'aurait beaucoup plu. Ordonner la vie des pékins sans avoir à leur donner des ordres, suggérer sans se mouiller, faire faire plutôt que faire, n'est-ce pas la crème sans la pâte, la perfection de la puissance, le summum de l'emprise – le *leading from behind* dont se vantait dernièrement un président américain, M. Obama? C'est le trône derrière le trône qu'occupait, sous l'Ancien Régime, le jésuite confesseur du roi et qu'a cru parfois détenir, dans la République des professeurs, le « grand intellectuel laïc », l'héritier bouffe-curés de notre Parti prêtre.

La conjoncture – nos décennies gueule de bois – n'était pas défavorable : quand le maître des horloges baisse la tête, le maître à penser relève la sienne, et quand le gouvernant n'a plus grand-chose à raconter, le gouverné se tourne vers les fournisseurs attitrés de raisons d'espérer. À État fort, clergé faible, à clergé fort, État faible. Avec ce mouvement de balancier, moins il y a de prestige moral chez les politiques, plus il y a de prestige politique chez les moralistes. Ce jeu de vases communicants, multiséculaire, devait logiquement, au vu de nos basses eaux mythologiques, jouer en faveur de cette option, pour autant que les *matadors* déjà confirmés, autorisés à porter l'estoc dans l'édito, acceptent à leur côté un *novillero*, et qu'un chef de bande en situation l'accepte dans sa *cuadrilla* – les deux préalables de toute autorité chronique. Quand ils sont remplis, on peut mettre en œuvre la devise du Barbu, non plus interpréter mais transformer le monde. Et comment cela, s'il vous plaît ? En faisant que les idées justes (les nôtres, s'entend) deviennent force matérielle en s'emparant des masses ou, à défaut, des bons bourgeois auxquels les travailleurs des villes et des campagnes ont confié le soin de leur changer la vie. Et tant mieux si l'ordre de la Légion d'honneur peut y trouver son compte en même temps que Jean Jaurès, l'amour du socialisme n'étant nullement brouillé avec l'amour des rubans. Ayant beaucoup travaillé à l'étude des voies et moyens par lesquels un certain Joshua dit Jésus, rabbin juif en dissidence, s'est emparé de l'Empire romain par la prédication, ou analysé par quelles médiations Voltaire a fini par prendre la Bastille à titre posthume (ce qui n'était nullement dans ses intentions) – jusqu'à se faire une discipline de cette méthodique étude –, le passage des vues théoriques aux exercices pratiques me serait un jeu d'enfant.

Ce ne fut pas le cas. Évidemment. Depuis qu'*Homo erectus* s'est mis des semelles de cuir sous la plante des pieds, les cordonniers, comme chacun sait, sont les plus mal chaussés. Cette lapalissade n'explique pas tout. Devenir un intellectuel français de plein exercice est une haute et belle ambition. Ne va pas croire que j'ai décroché la timbale : trancher par écrit de tout ce qu'on ne connaît pas et faire du bruit avec la bouche ne suffit pas. C'est plus compliqué.

Bien sûr, nous sommes tous des intellos, car tout le monde a ses petites idées sur la vie et chacun son type d'intelligence. Tout le monde a un œil et ne fait pas de la peinture pour autant ; et tous les étudiants des Beaux-Arts qui ont appris à dessiner des nus ne seront pas invités à la Foire d'art contemporain. L'intellectuel, je te parle de la raison sociale, n'est pas celui qui noircit du papier dans son coin. C'est celui qui a un *projet d'influence* et y travaille, par tous les moyens à sa disposition. Réformer la conduite de ses contemporains n'est pas le souci du savant ni du poète, et le théologien ou le moine chartreux ne se mêlent pas de prêcher le bon peuple pour ramener dans le droit chemin les femmes adultères. Cette obligation est dévolue aux prêtres séculiers. Ils ne sauraient la remplir sans un appareil phonatoire, larynx et cordes vocales en état de marche, conforté en général par une chaire surélevée avec un abat-voix, dressée à l'intersection de l'abside et de la nef, à droite des fidèles (l'oreille gauche est jugée moins fiable). La sono permettant de parler depuis l'ambon dispense nos prédicateurs de l'échelle en colimaçon, mais que survienne une coupure d'électricité et voilà notre prêcheur en chômage technique. Reproche-t-on au curé de sa paroisse d'être *médiatique*, comme on le fait avec tout prêcheur laïque en état de marche ? Autant reprocher à un coureur de mille mètres d'avoir des jambes et du souffle, à un soldat, des armes à feu, à un terrassier, une pique et une pelle. On ne voit pas comment faire connaître son opinion privée sur les affaires publiques sans un moyen de publication quelconque – quotidien, hebdo, chronique radio, rendez-vous télé, blog ou site à disposition, selon l'état des technologies. « Intellectuel médiatique » : ce pléonasme constitue un brocard proprement « médiatique », au plus triste sens du mot.

Chaque état social a son créneau ou son cœur de métier. La femme reproche ; le politique promet ; la basoche chicane ; le goupillon bénit ; le banquier spécule ; et l'intellectuel *accuse*. Rappelle-toi notre acte de baptême – l'apostrophe de Zola à la « une » d'un quotidien, *J'accuse*. C'est bien notre fonction. Non pas expliquer, explorer, reconstituer, comprendre mais chapitrer, morigéner, dénoncer, fustiger. Raisonnement facultatif, allumage recommandé. La polémique procède *ad rem*, le pamphlet *ad hominem* (avec un penchant vers la droite), mais les deux ont tout intérêt à accrocher la diatribe à un héros du *Who's who*, un *wanted* déjà bien repéré. Nous n'aurions pas à nous brancher chaque année que Dieu fait sur une « saga des intellectuels », version fleur-de-lysée du grand récit républicain, avec, en Bayard et Du Guesclin, les « contemporains capitaux », sans le déploiement omnivore de la photographie. Niépce et Nadar ont ouvert la porte d'un univers qui a perdu ses corps collectifs mais gagné en têtes – de con, de pipe, de Turc ou à claques. Chaque peuple fût-il millénaire se résorbe et se résume à présent dans la figure-buvard de son numéro 1, chancelière, président, tyran ou grand timonier, en sorte que le chasseur de primes peut en finir avec la Russie en « se payant » Poutine, ou avec la Syrie en « dégommant » Assad. Viser la tête simplifie le boulot. Il n'y a aucune icône ni aucun portrait à la « une » célèbre de *L'Aurore* en 1898, notre blason dynastique – mais l'empreinte d'un visage sur une plaque photosensible a rendu à nos Zola de poche un service considérable : le verdict sans l'instruction, l'oukase sans l'enquête, ce dont nous profitons tous quand le papier doit être remis à huit heures du matin, que nous ne connaissons pas vraiment le dossier et que nous avons fait la bringue toute la nuit. On flingue le *number one*, et on va au lit.

Adepte des raccourcis, j'avais cru malin de sauter les préliminaires – mandat local, carte du Parti, chronique dans un hebdo, créneau hertzien – pour un parachutage en terrasse que l'amitié du prince et une généreuse inconscience de sa part avaient rendu possible. 1981. « Conseiller au Château. » Adresse prestigieuse (l'hôtel de passage n'était pas encore banalisé par le tout-venant du *new money*). Position enviée, où l'on ne se grille qu'auprès des ex-collègues, les incorruptibles travailleurs de la preuve qui, fiers de leur pensée complexe, boudent la foire du Trône, sur des hauteurs où les crocs-en-jambe sont d'autant plus impitoyables que l'enjeu est la gomme et le crayon. Et planque idéale pour un aspirant inspirateur, vu l'immunité judiciaire et la stabilité de l'emploi. Un député dure cinq ans, un ministre au mieux deux, un rentier de l'admonestation, cinquante ans, sauf accident ou maladie. Il n'est pas soumis à réélection ni à remise de comptes ni à déclaration de patrimoine. Avantage de la mission sur le mandat : le pouvoir a un CDD, l'influence, un CDI. On comprend qu'un créneau à la télé ait plus d'attrait pour nos jeunes pousses que le tractage place du Marché, avec des furieux à vos trousses. « La communication est à l'action ce que l'aviation est à l'infanterie », remarquait justement un haut cadre sur la touche, M. Sarkozy, en ajoutant : « l'aviation doit passer pour que l'infanterie puisse sortir ». Tu observeras qu'un pilote de chasse doit se recaser à trente-cinq ans, un conducteur de TGV et un policier à cinquante-deux et un cardinal à soixante-quinze, tandis qu'on peut appeler chaque semaine les populations aux réformes et sacrifices qui n'ont que trop attendu au-delà des quarante-trois ans. C'est l'âge moyen auquel les deux tiers des militaires – terre, mer, air et gendarmerie – peuvent accéder à la pension de retraite (vingt-cinq ans de service sont exigés des officiers de carrière, avec, pour les aviateurs et les sous-mariniers, des bonifications en fonction des heures de vol ou de plongée). À l'heure où les régimes de retraite crispent les esprits, ces précisions me semblent utiles pour ta gouverne. Même si l'ingrate Agessa (Association pour la gestion de la sécurité sociale des auteurs) exige d'incessants versements dont on ne voit jamais, même passé soixante-dix ans, le moindre retour, compte tenu des taux d'attrition comparés entre les différents services d'aviation, le pilotage de l'esprit public est cent fois préférable à celui des administrations en place. Si tu ajoutes croisières gratis, tournées à l'étranger, séminaires en entreprises et conférences réglées en dollar sans impôt, le *benchmarking* se fait tout seul. Cela dit entre quat'z-yeux (pas de tribune libre sur cette question).

Inutile de te préciser que je n'ai pas exercé la moindre influence (hormis quelques discours pas trop malvenus qu'aurait pu pondre n'importe quel normalien sachant écrire) sur les décisions du Prince ni de personne d'autre. Une meilleure réception auprès du public aurait sans doute tempéré l'échec *intra-muros*, mais ce fut chou blanc de part et d'autre. Ne vois pas là le signe d'une «vanité mécontente comme celle de quiconque se croit beaucoup et se sent tenu pour peu » – joli mot d'un observateur aigu des renvoyés de son époque, Charles Rémusat. Mes services furent payés à leur juste prix. Chez de rares amis, un succès d'estime («obligation de moyens, non de résultat») et, chez les pros, un haussement d'épaules («un amateur»). Je leur donne raison. Il faut être sérieux dans la vie, et piéger les ego pour avoir prise sur l'événement exige du professionnalisme. Quand on cueille la marguerite, on ne se plaint pas de folâtrer.

Ce que je fis, au cours des années Mitterrand, en tant que *beach boy* des confins, chargé d'aller hisser le drapeau sur l'atoll de Mururoa, l'îlot de Clipperton, les Nouvelles-Hébrides, l'île du Diable et Haïti. Je rêvais côté mer, mais le patron manœuvrait côté terre, en bon paysan hydrophobe et lotharingique, fidèle à sa Charente intérieure et abordant les Landes par la forêt de pins, non par l'estran. J'en tenais pour le grand large et les France du dehors, et lui, pour le pré carré européen, notre nouveau Massif central, le réduit auvergnat d'un néo-vichysme élargi. La France étant un hybride, maritime et terrestre, elle peut tolérer les deux approches. Je m'étais automissionné pour cette tâche extravertie parce que, au lieu de me mêler des affaires intérieures des autres, il m'était apparu plus sain, la quarantaine venue, de me mêler de nos propres affaires étrangères. Je partais de l'idée, le camp du Bien accédant aux manettes, que le « domaine réservé » en était un où les longs et les carrés, les élancés et les râblés pouvaient œuvrer de concert. Le bon sens aurait voulu que, dans les relations toujours délicates de la France avec le Vanuatu et le Honduras, les enfants de l'air et les fils de la terre puissent marcher main dans la main. Ce qui est vrai, mais seulement dans les faits, comme l'atteste une diplomatie à peu près inaltérée, d'une majorité à l'autre. Les esprits étaient plus rechignés, et le Quai d'Orsay ne pouvait voir d'un bon œil l'arrivée d'un aficionado que de fâcheux antécédents situaient à gauche de la gauche, malfaçon incompatible avec le « Département », professionnellement étranger aux bonnes intentions et aux mains sur le cœur. Un gaulliste d'extrême gauche, comme j'aimais à me définir pour esquiver les clichés, relevait d'une espèce non homologuée, défavorablement connue des services de police. Bien peu de nos pontes en place soupçonnaient la survie dans les soutes du navire amiral d'un progressisme canal Louis XI, soucieux de transformer la conscience en expérience, qui s'interdit le violoncelle, la diplomatie des lacs, l'invocation des grands principes et des joueurs de flûte humanitaires, qui mènent mélodieusement les enfants à la rivière. Je n'ai pas le don musical. J'étais payé pour connaître la valeur des cartes de géographie, et ce que coûte l'emprise des choses vagues sur les cerveaux. À chaque fois que j'entendais

à la radio le grand violoniste Yehudi Menuhin
disserter sur l'état du monde, entre deux coups
d'archet, je me rappelais l'avis de Julien Gracq
le concernant : « Prophétisme nuageux et opti-
miste, effusion de la belle âme, rêves humanitaires et conciliateurs. » Bêtise pour bêtise, je
préfère encore celle du clan opposé, le rapin,
« truellée en pleine pâte, matérialisme court,
cynisme sexuel simplificateur ». La guerre d'In-
dochine et les suivantes m'avaient renseigné sur
les accointances du violoncelle à domicile avec
le napalm outre-mer. Le néo-conservateur en
poste (et à Paris plus encore qu'à Washington)
a donné à ce vieux pli un coup de jeune sans
parvenir à me convaincre.

Figure intéressante, soit dit en passant, que
ce boutefeu, le zozo virant Zorro, traînant tous
les cœurs après soi, pour la défense *urbi et orbi*
de la veuve et l'orphelin. C'est le contraire du
cynique : un pur idéaliste, limite platonicien. Il
va du Ciel à la Terre. Il juge l'ici-bas lamentable
à l'aune de sa Cité idéale, ouverte et concurren-
tielle, où les opinions et les capitaux ont toute
liberté d'interagir. Ne supportant pas la distance
entre ce qui devrait être et ce qui est, ce preux,
mi-évangéliste, mi-urgentiste, entend rendre
le réel conforme à son idée. Épris de solutions
expéditives et expéditionnaires, ne s'embarras-
sant pas plus d'histoire que de géographie, ce
saint Michel a le don du coup de menton et de

la mise en demeure des «lâches qui nous gouvernent». Il fait dans la majuscule : «Grand
Moyen-Orient» ou «Nouvel Ordre international». C'est un survolant, à quoi prédisposent
les grandioses abstractions de l'adolescence. Le
néo-con droitier est un gauchiste à qui l'inversion du vent d'Est en vent d'Ouest a fait cette
faveur : retourner sa veste sans avoir à en changer. Un manichéen d'avant l'invention du Purgatoire, ce compromis toujours un peu louche
avec le Mal. «Qui n'est pas avec nous est contre
nous.» Se dérober au choix lui signale le voisin
de palier à dénoncer. La navrante ambiguïté des
situations concrètes force à un incessant tour de
ronde – on ne réveille pas les pleutres sans sonner le tocsin soir et matin sur toutes les ondes.

Telle la barque de l'amour sur la vie quotidienne, notre frère prêcheur a brisé la sienne
sur les récifs du Tigre et de l'Euphrate, dans les
montagnes d'Afghanistan ou les déserts de Libye
et d'ailleurs. Mais il court toujours, notre Juste
peu judicieux qui préfère la Morale universelle
au droit international, l'émotion aux Atlas, le
JT aux manuels d'histoire et l'image de soi à la
réalité des autres. Le *wonder boy* aura demain
comme hier le dessus du pavé, car on ne peut
rien contre la grande gueule au grand cœur qui
colonise la grande presse.

Sans l'espoir d'acquérir la moindre prise sur
nos hiérarques, je garde pour la géopolitique

un intérêt soutenu, mais c'est de l'art pour l'art. Montrer moins de passion pour la détresse sociale dans son pays que pour la détresse de son pays dans le vaste monde, et prêter plus d'attention à la Convention des Nations unies sur le droit de la mer qu'au sort des femmes battues, des handicapés moteurs et des sans-papiers n'a rien de particulièrement honorable pour un « ami du peuple ». Je te prie de m'en excuser. Qu'il y ait du snobisme dans cet intérêt seulement poli porté aux mesures agro-environnementales et aux contrats aidés, je n'en disconviens pas, mais vois-y la rançon, atavisme oblige, d'un ethno-altruisme héréditaire. M'est avis qu'un Français qui ne s'occupe pas d'autre chose que de la France devrait être condamné à la dégradation nationale (une mesure en vigueur à la Libération). C'est le meilleur de notre bagage, si encombrant par ailleurs : le nombril centrifuge. Dans mon Paris idéal, je t'annonce qu'il existe une rue Henri-Curiel, juif du Caire et Français émérite, fondateur du parti communiste égyptien, réfugié en France en 1950 et animateur de l'organisation « Solidarité » de soutien aux luttes d'indépendance nationale des trois continents. Un « homme à part », comme l'appelle mon ami Gilles Perrault, son biographe. Il fut assassiné le 4 mai 1978, rue Rollin, dans le cinquième arrondissement, de quatre balles de revolver, tirées par des « souchiens », la face noire de l'État. Garderont leur plaque bleue, qu'on se rassure, dans mon Paris par lui-même libéré, les avenues Foch et Mac-Mahon, et puisqu'on ne peut pas toucher à la casquette du père Bugeaud en débaptisant son avenue, donner son nom à l'escalier à double révolution qui fait passage entre les rues Rollin et Monge serait la moindre des choses.

Ne dédaigne pas, cela étant, les Hautes Études commerciales. C'est la meilleure porte d'entrée vers les Affaires étrangères, depuis qu'elles ont été rattachées au Commerce extérieur, et chargées de renflouer le Trésor public avec de beaux contrats (ou, à défaut, des annonces de contrat). S'il est vrai qu'« il n'y a pas de politique en dehors des réalités », il n'y a pas non plus de réalité en dehors de la conjoncture économique. Et, vu l'ignorance où nous sommes des pays étrangers et de leurs traditions (quand nous connaissons fort bien le taux de chômage, le prix de la baguette et les manies du conseil municipal), la politique internationale est essentiellement une affaire de ouï-dire et de représentations collectives, en sorte que l'expérience n'y a pas droit de cité. La realpolitik, la seule qui vaille, est aussi, dans la pratique, la plus irréaliste. L'observation de Tocqueville selon laquelle les affaires du dehors, en démocratie, dépendent des affaires du dedans se vérifie chaque jour plus, et le réel est devenu un luxe qu'un pays otage, à la fois de ses communautés intérieures et de ses alliances extérieures, ne peut plus se payer. Il rapporte trop d'emmerdements. Je me souviens, il y a une quinzaine d'années d'ici, être revenu d'une longue mission en Israël-Palestine, avec les dernières cartes et relevés de terrain. Quand, sur la foi de ces documents sobrement cartographiques, j'ai indiqué, au directeur compétent du Quai d'Orsay, qu'il ne pouvait plus y avoir, physiquement, d'État palestinien, et que la thèse des « deux États » était devenue caduque, il m'a répondu : « Oui, vous avez raison. Mais on ne peut pas le dire. Gardez-le pour vous. » On préparait en effet une énième Conférence sur la paix, de celles qui se succèdent depuis des lustres pour amuser le tapis, où l'on se garde toujours de punaiser une carte au mur. De Gaulle l'avait déjà noté. « La diplomatie est l'art de faire durer indéfiniment les carreaux cassés » (en l'occurrence le « processus de paix »). Il y faut un art consommé des euphémismes. « Pour être ambassadeur, il ne suffit pas d'être con, il faut aussi être poli », notait d'ailleurs Clemenceau, qui aimait, lui, se coltiner avec la géographie, une imprudence que nous pouvons, à l'ère numérique, nous éviter. On classe et moralise en binaire, comme nos ordinateurs. Ça évite les casse-tête : démocrates versus dictateurs, les bons contre les méchants, inutile d'aller plus loin. La chair est bonne fille et n'a pas de temps à perdre. Le manichéisme infantilisant importé d'outre-Atlantique, avec la *feel good diplomacy*, c'est comme le four à micro-ondes et l'embrayage automatique : un vrai soulagement. Notre avenir, sur ce chapitre, est tout tracé. Tu auras chaque année ta ration de nouveaux Hitler et de drones débordants mais vertueux. Si tu te sens comptable du bonheur de tes congénères, ce qui t'honorerait, je ne suis pas sûr que la « Carrière » soit la bonne voie. Les stoïciens répartissaient les choses de ce monde en deux catégories : celles qui dépendent de nous et celles qui n'en dépendent pas. La politique étrangère de notre pays relevant par bien des côtés de la deuxième catégorie, oriente-toi plutôt, si le cœur t'en dit, vers la première, le business pour mézigue, la start-up à compte propre.

Si néanmoins te venait le soupçon que les décideurs du jour ne se font pas une juste idée des choses, et qu'il est devenu urgent de leur insuffler une vision du monde correspondant enfin à la réalité, vision qui par bonheur se trouve être la tienne, tu devras vouloir les conséquences de ce que tu veux, sans états d'âme, et remplir bravement tes devoirs d'*homme d'influence*. Sinon être une source d'inspiration – un « majá », comme chez les chiites, du moins un « visiteur du soir » ou un « conseillé écouté », à l'échelle du quartier. Ne vise pas plus haut que ton clocher. Les premières places sont prises et cotées en Bourse. Les gourous planétaires sont,

logiquement, les inspirateurs de la planète, leurs
milliards emportent la conviction et ils sont
domiciliés en Californie. Reste coach, expert,
consultant, Père Joseph, *troublemaker* ou éminence grise. Les appellations évoluent, l'emploi
demeure. Pour y avoir longtemps postulé dans
notre village, je puis te faire quelques sugges-
tions, y compris sur les boulettes à ne pas com-
mettre. Les clés du succès, dans cette affaire, me
semblent au nombre de cinq.

   La première : ne pas se tromper de cible. Le
cabinet privé du roi ? La fausse bonne adresse.
Le gouvernant est gouverné par les couv et les
« une ». Tu devras te rappeler que la « tête du
pays » n'en est en réalité que sa queue, ultra-
sensible et réactive, certes, mais à la traîne. Me
souvenant encore de l'époque où les journalistes
étaient les domestiques des politiques, et non
le contraire, l'échange entre eux des tabliers
m'avait échappé. Un « décideur » a pour premier
souci de chercher chaque jour son nom dans le
journal ou sa bobine sur les écrans, et s'afficher
avec une vedette de la chanson ou une actrice
de cinéma facilite la manœuvre. C'est l'appa-
riement auquel condamne le renversement des
rapports d'autorité. Hier, la politique tenait la
société ; dorénavant, c'est l'inverse. En dehors
du pouvoir de nomination, son ultime préroga-
tive – la seule qui fasse sortir les couteaux dans
l'entourage –, l'impuissance du pouvoir exécutif

semble un fait avéré. Le seul bouton qui réponde utilement et immédiatement sur le clavier téléphonique d'un président de la République est celui du chef d'état-major général, avec qui il ne causera pas en vain ni en l'air. La Grande Muette a des plans d'intervention tout prêts. D'où l'inclination des élyséens à montrer de quel bois on se chauffe dans l'arrière-cour avec, en prime, vingt points de popularité en plus la semaine suivante et d'extatiques émissions spéciales à la télé. Que cette poudre aux yeux ne te fasse pas oublier la remarque de Cromwell, *matter of fact* prédestiné (les Anglais ne se payent pas de mots) : « Le monde n'est pas gouverné par les châteaux mais par les comptoirs et les contrats. » À quoi se sont seulement ajoutés, depuis les Tudors, les réseaux et les tuyaux. Jouer les coulisses contre l'avant-scène est un mauvais calcul. De même qu'un fait n'est pas un événement s'il n'y en a pas d'image, caméra ou smartphone, le « trône derrière le trône » n'est qu'un tabouret s'il ne se met pas en avant. Pour se faire entendre du prince, il faut d'abord se faire voir par Mme Michu, et quand tu seras harponné dans la rue pour un selfie, tu auras gagné la partie. Conclusion : se faire avant tout une gueule, avec l'identifiant qui rassure – lavallière, catogan, chemise blanche ou piercing. D'abord, tu souffles dans ta bulle, ensuite, tu rentres dans la boucle. La télé d'abord, le ministère ensuite.

La deuxième : pas de langue morte. Vouloir damer le pion aux gens de chiffres et d'images – qui font cause commune, chacun ayant besoin de l'autre pour s'imposer – en critiquant des conduites qualifiables de simplistes au moyen d'ouvrages eux-mêmes très compliqués, c'est se tirer une balle dans le pied. Un décideur qui continue de lire des livres est une rareté. (Contrairement à son prédécesseur Groucho Marx, Donald Trump n'en a jamais ouvert un, ce qui pousse le bouchon un peu loin.) La plupart ont la télé allumée dans leur bureau du matin au soir, une pile de quotidiens et de magazines à survoler chaque jour, des notes d'une demi-page à annoter d'un gri-gri, et mieux à faire, en rentrant chez eux le soir, que de se concentrer sur des ouvrages inutilement sophistiqués où des Nimbus mal informés leur font la leçon. Le dernier des bouquineurs à l'ancienne, François Mitterrand, à distinguer des butineurs qui ont suivi, cloisonnait sévèrement. Littérature ici, politique là. Chardonne et Renan, ses amis, au salon, les communicants, ses employés, en cuisine. La victime de ce vice nuisible à toute bonne gestion d'un capital social qu'est la lecture d'immersion aurait tort de prendre exemple sur notre célèbre et secret Charentais, qui, s'il aimait les allers-retours entre la finesse et le slogan, veillait à ne pas mélanger. Chez ce rescapé du XIXᵉ siècle, cette capacité de s'adapter

à un déconcertant et redoutable écosystème
– surdramatisation de l'image et dédramatisa-
tion de l'écrit – témoignait d'un caractère à
toute épreuve. C'était en manquer, après ce
changement de portage, que de continuer à s'en
remettre à la forme écrite, pour capter cette
ressource en voie d'assèchement, l'attention
des gens en place. C'était prendre l'autoroute à
contresens. Rappelle-toi que l'influence sur les
Beurs de banlieue passe par al-Djezira, sur les
jeunes du centre-ville par les séries américaines,
et sur les ministres en activité par les chaînes
d'info et les réseaux sociaux.

Encore eût-il fallu que la prose paternelle
fût claire et prompte. Détimbrée et désodori-
sée, balisée, transitive, énarchique (avec, obli-
gatoires, une ou deux citations de René Char çà
et là), facile à ingérer. Et non sottement distin-
guée, avec passé simple et imparfait du subjonc-
tif, gênes exquises mais fatales, et finalement ni
chèvre ni chou. Hélas, le style, c'est l'homme,
et le Français est un homme arrogant, faible
et prétentieux, si j'en crois nos observateurs
d'outre-Rhin. Glisser un poème en prose exal-
tant l'eau vive des gaves pyrénéens entre deux
tableaux statistiques de la production électro-
nucléaire en France ? Le pavé de l'ours. On a
beau vanter métissage et brassage, le mélange
des genres vous ferme les portes des ministères
comme du CNRS, où les métis sont mal aimés.

Un publiciste appartient à l'espèce des hommes publics, ce qui doit l'amener à renoncer à tout humour, tout deuxième degré, tout appétit de couleurs ou de fruité, en laissant clins d'œil et nuances pour les plages de l'été. Sa crédibilité est à ce prix. Mes vagabondages et badineries expliquent pour beaucoup le plouf au lieu du boum, les conducteurs de peuple restant aussi ignifugés que leurs ouailles face à mes cocktails supposés Molotov. Ce contre-exemple t'indique qu'en faisant simple tu feras mieux. Qui ne prend pas les transports en commun ne pourra jamais communiquer efficacement.

Troisième conseil : agir sur l'esprit des prépondérants exige de vivre et de travailler au pays. Et donc de fréquenter la piscine du Ritz, le dîner du Siècle, les tribunes de Roland-Garros, le golf de Morfontaine, le cercle Interallié, Davos en janvier, l'île Maurice en février et l'île de Ré en juillet (les *happy few* sont hirondelles, migrateurs saisonniers toujours au coude-à-coude). On ne débarque pas un beau matin, bille en tête. On s'acclimate avant de s'adresser. On prend les manières et le ton. Il faut d'abord parler pingouin aux pingouins, et responsable aux « responsables » (compétitivité, monde libre, État de droit, profits d'aujourd'hui, emplois de demain, etc.), après quoi, badge montré, tu pourras risquer un pas de côté. La *captatio benevolentiae* est indispensable, car infléchir, ce n'est pas réfléchir pour se trouver beau dans son miroir, c'est refléter et renvoyer des signaux décodables, dans une langue familière aux destinataires ou interlocuteurs. C'est pourquoi un Martien n'influencera jamais un Terrien, il le rendra encore plus terrien, je veux dire plus méchant. Si tu as émis l'idée devant une éminence du Quai d'Orsay qu'il n'est peut-être pas malin-malin, dans un pays en guerre civile, de fermer notre ambassade dont on aura bien besoin demain, de faire la sourde oreille aux églises chrétiennes sur place ou de brandir des représailles dont on n'a pas les moyens, et qu'il abrège la conversation, comme de rigueur, sur un « faites-moi donc une note », il te faudra proposer dès les premières lignes une *piste de réflexion* ou un *fond de dossier*, pour *développer un partenariat* et *agir en concertation* avec *les acteurs qui comptent dans la région*, soucieux d'établir une *bonne gouvernance*, afin de consolider, dans cette *zone de turbulence*, confrontée à *des troubles et des menaces pesant directement sur notre sécurité*, *un pôle de stabilité* destiné à écarter, moyennant un *dialogue suivi avec les sociétés civiles*, les *menaces de déstabilisation* auxquelles s'expose cet *arc de crise*. Après seulement, ta petite réserve. Chaque métier a ses *idiotismes* valant patte blanche pour l'émetteur, et label de garantie pour le récepteur. Si tu n'émets pas sur une longueur d'onde recevable, ne t'étonne pas de pisser dans un violon. Si Jésus n'avait pas été perçu comme un homéliaste parmi d'autres reprenant les rituels et les mots de sa tradition (la proclamation scripturaire synagogale du Shabbat), le philistin serait toujours aux commandes. Et c'est quand les adeptes du mouvement chrétien se sont mis à penser grec et parler latin qu'ils ont pu damer le pion aux Grecs et aux Latins. Si Luther n'avait pas été un bon moine augustin, la chrétienté serait restée papiste. Bref, commence par tapoter bien gentiment sur l'épaule des importants sans faire l'ours ou le snob. Construis avec eux une communauté de langue, d'intérêts et de connivences, car on est toujours aimé par ceux qu'on aime et détesté de ceux qu'on ignore – journalistes, curés, imams, footeux, plombiers, énarques, cégétistes ou pédégés. Le pas de côté ne pouvant se faire que dans le sens de la marche, tu devines la difficulté, rentrer dans le moule pour pouvoir casser le moule. C'est le cercle vicieux du climatiseur acclimaté. Je ne m'en suis jamais aussi bien rendu compte qu'à Aspen, Colorado, un jour d'été 1981. J'escortais, heureux de mon passeport diplomatique, pour une fois que l'« ami américain » ne pouvait m'empêcher de souiller son sol, Jean-Louis Gergorin, directeur du Centre d'analyse et de prévision du Quai d'Orsay et excellent connaisseur de l'establishment d'outre-Atlantique. Nous étions invités à présenter les vues de la « nouvelle administration française » lors d'une session informelle de l'Aspen Institute, Reagan *imperator*. Il y avait là Robert McNamara, Brent Scowcroft, Richard Perle, l'ex-vice-président Mondale et d'autres, tous les durs à cuire de la Nouvelle Rome, alors aux affaires. Ambiance chaleureuse et détendue, plaisanteries, prénom, bourrades – le rafraîchissant plain-pied d'une Amérique aux bureaux à claire-voie, aux grands chefs accessibles, toujours déconcertant pour un Français habitué au guindé précautionneux et distant des sommités du chef-lieu (au point que nous nous retrouvâmes, par une inadvertance de nos hôtes, assistant Jean-Louis et moi au début d'une session on ne peut plus secret-défense portant sur le nouveau système C3 – *control, command and communication* – des sous-marins nucléaires des États-Unis, ce qui faillit faire de ton cher papa l'espion du siècle). Cette joyeuse équipe, le soir, au dîner, lança un tour de table à bâtons rompus sur ce qu'il convenait de faire du million de dollars que venait de léguer à l'institution une veuve philanthropique. Chacun y allait de sa petite suggestion et, quand vint mon tour, j'évoquai, en brave garçon soucieux de ne pas passer pour un bradeur d'Empire, le bien que ferait aux présents une vaste enquête sociologique bien financée sur l'état des sentiments d'hostilité aux États-Unis sur les pourtours du premier monde, Amérique du Sud, Afrique du Nord et

Proche-Orient. Cela jeta un petit froid, suivi de rires consternés. « On n'est pas là pour financer les hôpitaux psychiatriques », me fut-il répondu, tant il était évident, dans cette chambre sourde, qu'un « anti-Américain » ne pouvait qu'être un ennemi du genre humain, ce qui logiquement confie le détraqué aux médecins et le possédé aux exorcistes. Ce n'était donc pas de leur compétence, à ces décideurs ; ce ne le sera qu'après le 11 septembre 2001. La défense immunitaire d'un *nous* bien constitué, quelle que soit la niche, fait qu'on n'entend pas ce qu'on veut mais ce qu'on peut. De même que le cerveau individuel ne laisse entrer du monde extérieur que les signaux dont il a déjà les codes, un cerveau collectif capte en priorité les idées qui peuvent parachever l'idée qu'il se fait de lui-même et, tout être tendant à persister dans son être, chacun affiche sur sa porte un *do not disturb*. Ce mécanisme d'exclusion n'est pas plus injuste ou immoral que la sélection naturelle chez Darwin. « En Amérique, la majorité trace un cercle formidable autour de la pensée. Au-dedans de ces limites, l'écrivain est libre ; mais malheur à lui s'il ose en sortir. » Souviens-t'en si tu veux rendre service. Je ne connais pas de démocratie, à commencer par la France, où la remarque de Tocqueville aurait cessé de s'appliquer.

Contrainte numéro 4 : la ponctualité. Pour ne pas casser l'ambiance, il faut être en phase,

et accrocher sa timbale *just on time*. L'instant
commande à l'influent. Pas de vacances pour la
sentinelle, on tire à vue ou on perd sa place. La
mercuriale doit venir *al dente* ni trop tard ni trop
tôt. S'insurger contre le *déclin de l'Europe* dans
l'euphorie de la Victoire, en 1920, comme le géo-
graphe Albert Demangeon, ne sert à rien. Non
plus que signaler aux autorités que les chrétiens
d'Orient sont en danger de mort avant que les
journaux n'en fassent les gros titres (un forum
sur la question tenu sur mon initiative en 2007
à Paris, avec de nombreux patriarches d'Orient,
ne suscita qu'indifférence de la presse – hormis
Réforme et *La Croix* – et il n'y eut donc aucun
accusé de réception de la lettre envoyée au président de la République du moment). Tous les
guetteurs à leur créneau savent que mettre dans
le mille avant l'heure revient à mettre à côté de
la plaque. L'astreinte au produit frais ne va pas
sans déboires, et chaque fois que j'ai pu voir
juste, avec quelques années d'avance, on me per-
suada que j'avais tout faux. Observer en 1974
que la mondialisation économique annonce
une balkanisation politique du monde, et que
le libre-échange généralisé entraînera un retour
aux frontières ; en 1982, que l'URSS était un
empire en fer-blanc et sans avenir ; en 1989, en
pleine euphorie européenne, que la construction
bruxelloise manquait de pilotis dans les tripes
et les peuples et que son élargissement en pré-

cipitera l'effritement, c'était attester une nature ou de Schtroumpf ou de grognon ou des deux. Excuse le plaidoyer *pro domo*, on plastronne comme on peut.

Le stress des urgences imposé par l'hyper-connexion, peu favorable aux liseurs, tempéraments secondaires, confirme l'avertissement de Paul Valéry : « Il faut choisir entre comprendre et réagir. » Entre se donner du champ et donner de la voix. « Expliquer, c'est excuser », lança naguère un éminent responsable sur les dents, pressé d'aller au fait. Il est probable qu'on accroît ses chances d'éclairer l'actu en fouillant dans les livres d'histoire, mais si l'on cherche trop à éclairer, on plonge soi-même dans le noir et on quitte l'actu. Autre cercle vicieux. Mon vieux prof de philo m'avait prévenu : « Sont actuelles les pensées qui nous permettent de nous situer dans le temps et de juger le présent pour ce qu'il vaut, mais ces pensées sont souvent intempestives. »

Tu m'en voudras sans doute de singer Machiavel, mais je ne voudrais pas te voir pénalisé par tes bons sentiments, non moins fatals à une belle carrière qu'à la littérature. Puisque gouverner, c'est choisir entre deux contretemps, veille, si tu souhaites grimper au mât de cocagne, à faire partie des retardataires plutôt que des prématurés. Les prises d'armes précoces n'annoncent rien de bon et les « hommes du commencement », comme Alexandre Dumas, évoquant la révolution de juillet 1830, appelait les « hommes du peuple qu'on écarte quand l'œuvre est achevée », n'ont jamais le morceau de choix dans les aventures collectives. Les premiers à être montés sur le bateau sont les premiers débarqués quand il arrive au port, et c'est aux ouvriers de la onzième heure que titres et charges sont dévolus, car si on peut laisser de côté ses vieux complices, qui sont acquis, il faut séduire et honorer les nouveaux ralliés. La percée de nos grands rebelles dans l'intelligentsia locale obéit au même schéma. Une jeunesse studieuse et plan-plan, bien dans les clous, permet de faire à soixante ans un farouche exemplaire, d'autant plus intraitable que réveillé un peu tard. Le trajet inverse est plus aléatoire. Attends donc tes vieux jours pour t'offrir ce luxe suprême : ignorer les ding-ding du portable et ne plus marcher au pas cadencé de l'info. Tous les entrechats deviennent alors possibles, le jeu avec les millésimes, les promenades en zigzag, la danse avec le temps. Ce retour aux joies de l'enfance, ne t'en déplaise, est réservé au quatrième âge.

Dernier point, qui aurait dû venir en premier, n'était notre pudeur à tous et la crainte du trivial : le flouze, les pépettes, le pognon. À la guerre comme à la guerre. Nous ne sommes plus au temps de Jean-Jacques Rousseau où on pouvait, tout en recopiant des partitions d'opéra pour assurer la matérielle, faire passer ses projets de Constitution dans les ruelles et les salons, le colportage aidant, avec des samizdats imprimés à Amsterdam en mille exemplaires. Les moyens de production de la vérité ont changé de nature et d'envergure. L'opinion est devenue une industrie lourde, et en général quand le fond est là, pour lancer un journal, une revue ou une société de pensée, les fonds n'y sont pas. À ce problème logistique, ma période de plein emploi m'a enseigné deux types de solutions entre lesquels je n'ai pas su franchement choisir, allant et venant entre les deux, sans en trouver une troisième : d'un côté, le *konzern* ou l'intégration verticale sous un sigle, trois lettres, à l'américaine, de tous les moyens d'accès au grand public – édition, distribution, critique, presse, télé, cinéma, etc. ; de l'autre, le *partenariat* ou l'association avec une ou plusieurs puissances d'argent – fondation, entreprise, banque ou newsmagazine. Disons, pour s'en tenir aux champions du cru dont l'avenir n'a rien d'assuré, cueillons dès aujourd'hui les roses de la vie, la dominance médiatique, où l'on contrôle directement tous les maillons de la chaîne, via conseils de surveillance et d'administration, présidences de commissions, renflouement d'organes de presse en difficulté, achat de salles de projection... Ou la dominance académique, avec tout au bout une association capital-travail pour mutualiser les apports à travers une

Fondation où se côtoieront décideurs et concepteurs, bailleurs de fonds et producteurs de fond. Le premier dispositif fera de toi un médium multimédia, t'assurant une *surface*, l'admiration indéfectible et toujours réconfortante des prépondérants (quoi que tu dises ou fasses, ils seront dans la salle), un buzz par toute la ville et, d'un quinquennat à l'autre, le numéro de portable du président, de quelque bord qu'il soit. Le second, outre l'attachement des responsables, te vaudra, non des clients mais des disciples, une action durable sur les gens qui comptent, via notes confidentielles et séminaires réservés, ainsi que des exécuteurs testamentaires *post-festum* (la République du centre). Je ne te cache pas une nette préférence pour le système sapeur (le système esbroufe exigeant une trésorerie et des revenus qui ne sont pas donnés à tous), mais à chacun ses affinités : amour des studios ou amour des studieux, séduire ou creuser, retour rapide sur investissement ou placements à long terme (le dosage pouvant varier au fil des ans). Laquelle, d'une position ou de force dans les médias ou d'autorité dans les amphis, accroît le plus la puissance de tir, on en débat à l'École de guerre. Si tu choisis les paillettes, tu veilleras, pour assurer tes alliances et ton allonge, à conforter dans les médias la raison de l'hyperpuissance pour la rendre encore plus juste. Tu prendras fait et cause pour les chairs à canon que lèchent et lâchent, d'abord l'un, ensuite l'autre, l'oncle Sam et ses supplétifs – *freedom fighters* afghans, nationalistes de Géorgie, séparatistes de partout, valeureuses milices kurdes… Le forage en profondeur permet en revanche, paradoxalement, de prendre de la hauteur. De toute façon, sache que tu seras attendu au tournant car le Français est réputé homme du ressentiment. Contrairement à son idéal du moi d'outre-Atlantique, il ne pardonne pas plus la réussite que l'échec, jusqu'à ne pas se pardonner ses demi-succès (franchouillard je demeure, tu vois bien). Prépare tes répliques aux envieux. Quand, option 1, on te reprochera ta voiture avec chauffeur, ton majordome et tes avions privés, tu dénonceras de suite l'antisémite à la manœuvre (n'oublie pas alors ton arrière-grand-père juif). Quand, option 2, on te reprochera les chèques reçus de la fondation Ford ou Soros ennemies des ouvriers du rail et de la poste, tu répondras que cela vaut toujours mieux que de cirer les bottes de Staline ou Mao, comme jadis tant de sorbonnards frugaux mais marxisants.

Anyway, dis-toi bien, mon grand garçon, que toute ascension se paye, et que seuls les inodores et incolores échappent aux sarcasmes des derniers de cordée. Comme le bruit en court sur les sommets, ces flemmards ne sont bons qu'à ralentir l'ascension des chefs de file.

V

Ouf ! La bonne nouvelle ! Tu as en fin de compte opté (et je doute que mes petits tableaux récapitulatifs aient eu quelque influence) pour la section S. Je t'entends parler astrophysique, aéronautique, moteurs de fusée, carburant solide, missiles réemployables. Évoquer la prépa d'après, option Sciences de l'ingénieur. Te voilà tiré d'affaire, et moi d'embarras. Enfin du sérieux, du pratique. Le contre-pied tangible, la sortie du vaseux, le contraire du papa. Rien ne pouvait me faire plus plaisir que ce saut dans l'inconnu : les connaissances exactes et positives. N'étant pas de la partie, j'ai fort peu de chose à t'en dire, sauf mon bonheur, à moi qui ai eu tant de mal à m'extraire des mots en *isme*, qui retardent la marche comme des ventouses, de te voir chevaucher toutes ces nouveautés en *ique*, et qui me font la nique depuis le Spoutnik – mécanique quantique, robotique, micro-informatique, génomique, biotique, etc., et où se devine enfin quelque possibilité d'envol, d'arrachement aux pesanteurs.

Tu as raison : s'il y a des lieux où l'histoire ne bégaie pas, où la trouvaille mérite son nom et la découverte sa légende, ce sont bien les labos de physique et chimie, de biologie et nanotechnologie. Tu pourras là optimiser la dépense, quand le rendement de l'énergie gaspillée dans l'hémicycle, les couloirs et les réunions est en général proche de zéro. Le « vivre-ensemble », comme on dit, est un rabâchage à épisodes – une bande-annonce pour un film sensationnel dont on nous annonce à chaque fois, *in extremis*, que la projection n'aura pas lieu (« pour des raisons indépendantes de notre volonté »). Comme si l'on pouvait procéder autrement, à Paris, à Babylone ou sur un terrain de foot, pour faire un tout avec un tas, une équipe avec une bande, ou une nation avec des tribus (le grand œuvre du politique) que de tracer une frontière quelque part et de s'inventer un point de fuite au loin – le clos en bas forçant nécessairement à s'ouvrir sur une hauteur ou un horizon (un « ensemble » ne pouvant pas se « fermer » à l'aide des seuls éléments de cet ensemble). De même, excuse le prosaïque, cela pourra te servir, n'y a-t-il pas mille manières de gagner une élection : nous placer sous les yeux un épouvantail et se dresser là contre en ultime recours et chevalier blanc. Immanquable contrepoint de la trouille et de la promesse. 1/Crier au secours, les Barbares sont aux portes (les rouges, la droite, l'islam, la gauche, une dame trop dure ou un sieur trop mou). 2/Avec moi, vous serez sauvés, désendettés, protégés, prêts pour une nouvelle vie. J'affole et je ramasse. C'est un piano mécanique dont la carte perforée revient tous les cinq ou sept ans sans lasser apparemment, puisqu'il y a toujours et encore du monde dans l'isoloir. Côté artefact en revanche, il y a de l'imprévu – et de l'irréversible. On peut juger improbable, chez nous, le retour de l'esclavage au sens propre (on a trouvé des équivalents plus lénifiants), du droit divin ou de l'ordalie dans les cours d'assises mais on a vu venir le IIIe Reich après la République de Weimar, Pinochet après Allende, et on voit, dans maints pays, la théocratie succéder à la démocratie, et le droit du sang au droit du sol, alors qu'après le tracteur, la pénicilline ou la calculette, l'araire à manche de bois, la décoction miraculeuse, le boulier ou l'abaque débarrassent le plancher. Les révolutionnaires sans révolution, qui annoncent mais ne délivrent pas, ont pavé notre chemin. Ils sont légion. Plus rares mais plus fiables, car elles tiennent sans promettre, sont les révolutions sans révolutionnaires que furent tour à tour la machine à vapeur, l'électricité, l'aéroplane et l'iPhone, qu'aucun son de trompe n'avait précédés. Il est dommage, je te l'accorde, que la lignée d'Archimède n'ait pas

le *press book* de la lignée Spartacus. L'inventeur
de la pilule contraceptive n'aura jamais droit aux
documentaires, biographies et hommages que
méritent Simone Weil ou Angela Davis, même si
ses apports à la cause des femmes semblent plus
décisifs. Trotski fait rêver, et Mitterrand causer,
mais c'est le Smartphone qui a changé la vie,
et le Container, la face du monde, non le Programme commun et ses cent dix propositions.
C'est vexant, je le reconnais, mais cela est. *Das
ist*. En revanche, en matière de crime passion-
nel, de tuerie pour le bout de trottoir, de quête
éperdue du bonus, de ôte-toi de là que je m'y
mette ou de coups de poignard dans le dos, le
congénère, toi et moi, nous faisons du surplace.

Tu m'en voudras peut-être de faire le rabat-
joie, mais force m'est de te signaler, pour t'éviter
d'éventuelles gueules de bois, que le post-hu-
main galaxique a toutes les chances de rester,
une fois revenu dans l'atmosphère, le mam-
mifère aux regrettables habitudes dont les meilleurs esprits s'indignent, à juste titre. Tous les
documents disponibles, depuis l'âge du bronze,
indiquent un bipède assez stable dans ses fonda-
mentaux : xénophobe, peureux, agressif, veule,
cupide dès qu'il le peut et prêt aux pires étripages
dès qu'on l'a persuadé que son vis-à-vis était le
diable en personne. Mon recueil d'indices personnel est par trop limité, mais un ami qui a fait
plus que moi le tour de la question et de notre

boule, sur nos divers champs de bataille, depuis soixante ans, Gérard Chaliand, m'a assuré être arrivé aux mêmes conclusions. En ajoutant, nuance importante, qu'il y a toujours plus de gens bien qu'on ne le croit. Le premier venu est un honnête homme, disait déjà Victor Hugo, qu'un quidam qui ne l'avait pas reconnu a tiré d'affaire quand il s'enfuyait de Paris, un froid jour de décembre 1851, après le coup d'État de Napoléon III. C'est un capitaine de l'armée bolivienne, que je ne connaissais ni d'Ève ni d'Adam, Ruben Sanchez, qui m'a sauvé la vie après mon arrestation. Raison de plus pour rester ouvert aux surprises du monde. Garde-toi de fermer ta porte à l'inconnu qui passe.

J'ajouterai un plus en faveur de l'option S. Tu pourras fréquenter des gens qui ne la ramènent pas. J'ai souvent été frappé (et cela, dès les bancs de l'École) par la simplicité bon enfant, la modestie bourrue et franco de port des travailleurs en sciences dures, fussent-ils Prix Nobel. Le cabotin doué pour les caméras étant l'exception, au reste utile, les scientifiques ont beaucoup moins d'ego que nous, les littéraires, pour qui le confrère est un rival, à fuir ou à débiner. Les scientifiques travaillent en équipe et ont besoin les uns des autres, pour valider une expérience ou corroborer un théorème. Ils ont un juge de paix extérieur, le monde phýsique, le tiers objet, qui ne ment pas, quand nous n'avons, nous, que de fugaces rapports de force, de goût ou d'opinion pour nous départager. Cela fait de cette population taciturne, dépourvue d'hystérie et à la vie rangée, où l'on trouve plus d'anticonformistes pour de bon que chez nos casseurs d'assiettes patentés, l'authentique aristocratie d'une société narcissisée, où chacun peaufine sa petite différence jusqu'à ressembler à tout un chacun. Tu peux déjà le vérifier sur ton géniteur, et cette lettre ouverte ne le démentira pas : moins on est d'utilité publique, plus on soigne sa publicité.

En attendant, tu gagneras à ne pas imiter l'auteur de tes jours en courant plusieurs lièvres à la fois. C'est déjà un progrès que tu aies pu trouver ta voie tout seul. Je n'ai jamais su personnellement quel chemin suivre au juste, ou plutôt sur lequel aller jusqu'au bout. On a beau savoir que l'histoire n'a jamais rien appris à personne, on ne peut s'empêcher, avant de filer, de mettre à la poste sa lettre à un jeune poète comme si chanter juste et avoir de l'oreille pouvaient dépendre d'un enseignement par correspondance. Tes incertitudes professionnelles, à la bonne heure, auront eu la vie moins longue que mes incertitudes disons identitaires, lesquelles te signalent une certaine difficulté d'être. Sur l'avoir, pas de problème. *Qu'avez-vous* en banque, ou dans vos tiroirs ? est une question à laquelle il est plus facile de répondre qu'à un fâcheux : *Qui êtes-*

vous ? Outre que s'occuper exagérément de *faire*
nuit beaucoup au verbe *être*, l'action à ciel ouvert
pouvant cacher un certain vide intime, difficile,
pour le for intérieur, d'échapper au flottement.
Les objets, on compte, on décompte et on s'en
sort. Mais le sujet ? Admettons qu'il y a en sous-
sol les gens de rien, les moches et les envieux,
et dans le *penthouse*, les *rich and famous*, qui
sont tout. Soit. L'ennuyeux, c'est qu'on peut frô-
ler le rien en tâtant de tout ! On peut même y
tomber quand, pour chasser la tristesse d'être
ce qu'on est – et rien de plus –, on prend pour
argent comptant la trop belle promesse de Rim-
baud : « À chaque être, plusieurs *autres* vies me
semblaient dues. » J'aurais bien fait, pour ma
pomme, reporter de guerre, sous-commandant
Marcos, consul général de France à Los Angeles, commando marine, « prince des poètes » de
l'année en cours, amant et confident de Jeanne
Moreau, prix spécial du jury au prochain fes-
tival de Cannes : ces états civils me semblent
toujours dus, je ne dis pas mérités, et puisque
le cumul des mandats est interdit par la loi,
j'aurais été prêt à ventiler, un rôle par saison.
Et je ne te parle pas de mes moments passés
comme conseiller spécial auprès d'Abd el-Kader,
de Garibaldi et de Sun Yat-sen – les meilleurs
de tous. Mon CV actuel est roupie de sanson-
net à côté de ces fastes connus de moi seul :
un second couteau en coulisse, faufilé chez les

hommes de guerre, de pouvoir, d'influence, de savoir et d'imagination – homme couvrant les deux sexes –, avec juste assez d'aptitudes dans ces rôles successifs pour me prendre au jeu et faire semblant. Nous avons vieilli ensemble, mes sosies et moi, chaque pasticheur se moquant en douce des autres, les accusant de prendre la pose pour la galerie. Chaque fois que j'ai cru pouvoir faire réellement l'activiste, l'idéologue, l'érudit ou le romancier, ce fut avec la peur, bien connue de l'œil de Moscou à Paris ou du trotskiste faisant de l'entrisme chez les social-traîtres, d'être démasqué et fichu dehors. Comme il doit être bon d'*être* pleinement ceci ou bien cela, soit *esthète*, souriant, aimablement sceptique et délicat, soit *militant*, en quête d'un monde meilleur, furibard et borné, soit *intellectuel*, dissertant sur tout et n'importe quoi, plein de lui-même et jaloux des confrères. Et, chaque fois, avec les reconnaissances et le protocole de rigueur – palmes académiques, rosette, nécro révérencieuse et discours au cimetière («ça va encore durer longtemps?» se demande l'assistance qui se les gèle). J'ai pu camper aux lisières de ces principautés qui se tournent le dos – une dizaine d'années près de chaque bassin d'emploi – et ne suis pas mécontent d'avoir pu les quitter en gardant une ou deux accointances dans la place. C'eût été plus honnête, cela dit, à chaque nouvelle affectation, de demander à être rayé des cadres précédents, au lieu de se laisser taxer, tour à tour et à tort, de guérillero, intellectuel engagé, conseiller d'État, théologien, farceur et jury Goncourt, pour accumuler tous les bénéfices de ces dorures usurpées, en superposant, pur trompe-l'œil, la table de dissection, le parapluie et la machine à coudre. Comme les démêler serait coûteux et compliqué, on laisse filer la notice par un mélange de courtoisie et de je-m'en-foutisme, et on ne sait plus à la fin qui est la doublure de qui, et de quelle niche attendre sa médaille de retraité méritant. Autant de flottements qui brouillent le GPS. En ce qui me concerne, je souscris au diagnostic : trop épris de romanesque pour faire un député, trop besoin d'action pour faire un intellectuel et trop réfléchi pour faire un artiste. Manque de pot.

Reste qu'à quelque chose l'inabouti est utile : à dessiner avec une certaine précision les diverses figures d'accomplissement qu'on a eu l'occasion d'ébaucher. Car il y eut, pour chacune d'elles, je te prie de t'en souvenir, effort et tentative, et la trempette m'aura au moins permis de deviner comment on aurait pu aller plus avant. Si on n'a pas pris le large, on connaît au moins la température de l'eau. Un plaisancier ne peut pas en remontrer au cap-hornier ni un stagiaire au cadre sup, mais il peut tirer un fil. Je ne sais encore, et toi non plus, si tu vas tirer le fil du mandat électif, de l'influence, des belles histoires ou du technicien-chercheur, mais un bon conseil : en tout état de cause, réduction des effectifs. Rassemble-toi. Sois juste quelqu'*un*, et non deux, trois ou quatre. D'abord, pour ne pas te marcher sur les pieds. Ensuite parce que amateur, touche-à-tout, pseudo et, pftt, dans le trou.

Qui mieux que Sisyphe pour nous entretenir des raidillons ? Et qu'un demi-savant pour nous mettre en appétit de savoir ? Les ratés sont les seuls qu'on devrait croire sur parole parce qu'ils sont payés pour savoir ce qui n'a pas fonctionné. Les profs de solfège ou de dessin, au lycée, n'ont pas composé du dodécaphonique ni placé à Beaubourg une moitié de mouton dans une cuve de formol, mais ne leur doit-on pas l'envie, plus tard, devenu grand, d'aller au musée, voire même à l'Opéra ? Aurions-nous, sans eux, osé pousser la porte ?

Il te faudra seulement, pour trouver ta forme propre, ne pas trop céder à la bougeotte, à l'attrait de tout ce qui brille et démange. « Le plus souvent, on ne veut savoir, disait Pascal, que pour en parler. » J'ai sans doute trop voulu, appâté par l'inconnu et le secret-défense, goûter aux frissonnements du seuil, incapable que je suis de voir une porte fermée sans chercher le moyen d'aller y voir derrière – grands chefs, femmes fatales, sous-marins nucléaires ou couronnes littéraires. Juste pour explorer, sans même en causer par après. Et comme ces suprêmes sanctuaires n'égalent jamais l'idée qu'on s'en était faite, le mystère éventé, je passe la main pour frapper à la porte d'à côté. Je force l'entrée mais je n'épouse pas. Pas d'esprit de suite. Apprends à attendre et même à t'ennuyer, quitte à faire le pied de grue. Oui, puisses-tu surmonter le plaisir des commencements, les plus vifs de tous, dans les études comme en amour (d'où notre propension, dans ce domaine, à recommencer) – pour une montée de longue haleine, sans musarder ici et là. Mais peut-être nos fausses routes sont-elles le prix à payer pour garder notre liberté de mouvement, et renouveler de loin en loin notre carapace de certitudes autoprotectrices, souvent des plis de paresse ou de courtoisie. De même qu'on évite la gloriole en rejetant les honneurs (à moins qu'on ne l'entretienne en le faisant ostensiblement), l'envie de repartir dès qu'on est arrivé, rien que pour aller voir ailleurs, si elle n'élimine pas l'arrivisme, en tempère les signes extérieurs.

« Toujours vieux singe est déplaisant », nous a prévenus ce mauvais garçon de Villon. Je n'insisterai donc pas. Le barbon moralisateur (et qui n'a pas trop le moral, un comble) ne remplit pas son rôle dans la pièce sans un brin de ronchonnerie condescendante quand je ne vois, en réalité, dans l'entrecroisement qui nous met, toi et moi, de plain-pied, que des motifs de réjouissance. La perpétuation de l'espèce me semble

joliment bien machinée en ce qu'elle permet aux
sortants de la porte à tambour d'accueillir la
nouvelle équipe, juste le temps de lui refiler deux
ou trois mots de passe, et ainsi de suite à chaque
relève. Ceux qui tiennent, non sans raison, toute
vie pour un processus de démolition oublient
que si chaque vague se retire en laissant derrière elle un champ de mines, elle peut toujours
indiquer à la suivante les endroits à éviter. Quel
imbécile a dit qu'un désenchanté doit faire grise
mine ? On se déride en cessant d'être stressé.
Tant de promesses, hier, de lueurs au bout du
tunnel, et tant d'anxiété chez le trimardeur dans
son boyau... Quand pointe en bout de course
une gaieté sans illusions, le vieux schnoque
peut au moins se dire, égoïstement, que pour
lui l'aventure ne se termine pas trop mal. Et
même qu'elle s'annonce assez bien quand il voit
un petit Hercule, monsieur son fils, à la croisée
des chemins, mieux informé qu'il ne l'était au
même âge, se détourner des appeaux d'avant-
hier pour un chemin qui, lui, ne tourne pas
en rond, car il vise à perfectionner ce qui peut
l'être, sans viser l'impossible. S'il ne s'agit plus
désormais de rattraper ce qui nous fuit mais de
sauvegarder ce qui nous fait, cet ordre du jour,
dans sa sobriété, me semble très à propos. Je
ne te demande qu'une chose : d'échapper à la
plaie de notre époque, qui est de vouloir se faire
aimer, complaire à tous, et racoler des fans. Tu

n'es pas obligé de tenir en suspicion, comme je le fais, tout individu sympathique – car escrocs et faiseurs le sont –, mais souviens-toi qu'une civilisation où une œuvre de l'esprit n'est pas jugée pour ce qu'elle est mais d'après son tonnage et son volume de ventes entre en barbarie. Inquiète-toi dès maintenant du nombre de tes *followers*, *fans* et amis sur les réseaux sociaux. Le jour où tu seras applaudi par un large auditoire, dis-toi bien que tu viens de faire ou de proférer une grosse bêtise. Ne réponds pas à la sommation du *like* et du *cookie*. Le pire, quand on se met à « courir après l'omnibus », c'est qu'on finit par le rattraper.

Ce que j'ai pu te dire du monde d'hier, le mien, ne doit pas te décourager, mais plutôt t'inciter à faire mieux la prochaine fois en y voyant un apéritif, une entrée en matière. Les pères nobles ont beau prendre de grands airs, ce ne sont que des orphelins en quête de tuteurs. J'ai enfanté mes parents, comme eux-mêmes ont enfanté les leurs, et comme le feront avec toi tes descendants. Les vrais engendrements se font à rebours, des cadets vers les aînés. Ne sois donc pas dupe des vieux blasés dans mon genre qui prennent un air sentencieux pour faire croire que le fin mot de l'histoire n'a pas de secrets pour eux. Ils mentent. Ils n'en ont cueilli, au mieux, que des bribes. C'est à toi que reviendra bientôt de veiller sur ton pupille de père, et de corriger sa copie parce qu'il n'y a pas de causes définitivement perdues. Walter Benjamin, le suicidé de Portbou, l'avait bien vu : « De tout ce qui jamais advint, rien ne doit être considéré comme perdu par l'Histoire. » Les comptes d'un homme, quel qu'il soit, c'est la suite des hommes qui seule peut les apurer dans une course de relais sans fin assignable. Tu ne me devras en somme que quelques bredouillis d'un discours criblé d'énigmes dont l'éclaircissement dépendra des mots que toi et d'autres décideront ou non d'y ajouter – et ces rectificatifs, à leur tour, serviront d'incipit pour un autre chapitre tout aussi imprévisible de notre Livre commun, dont le plus grand mérite, sache-le, est d'être à jamais, pour ton bonheur et pour le mien, inachevé.

DANS LA COLLECTION FOLIO / ACTUEL

14 Anne Tristan : *Au Front.*
15 Édouard Masurel : *L'année 1988 dans* Le Monde *(Les principaux événements en France et à l'étranger).*
16 Bernard Deleplace : *Une vie de flic.*
17 Dominique Nora : *Les possédés de Wall Street.*
18 Alain Duhamel : *Les habits neufs de la politique.*
19 Édouard Masurel : *L'année 1989 dans* Le Monde *(Les principaux événements en France et à l'étranger).*
20 Edgar Morin : *Penser l'Europe.*
21 Édouard Masurel : *L'année 1990 dans* Le Monde *(Les principaux événements en France et à l'étranger).*
22 Étiemble : *Parlez-vous franglais ?*
23 Collectif : *Un contrat entre les générations (Demain, les retraites).*
24 Alexandre Zinoviev : *Les confessions d'un homme en trop.*
25 Frantz Fanon : *Les damnés de la terre.*
26 Paul Bairoch : *Le Tiers-Monde dans l'impasse.*
27 Édouard Masurel : *L'année 1991 dans* Le Monde *(Les principaux événements en France et à l'étranger).*
28 Raoul Vaneigem : *Traité de savoir-vivre à l'usage des jeunes générations.*
29 Georges Corm : *Liban : les guerres de l'Europe et de l'Orient 1840-1992.*
30 Pierre Assouline : *Les nouveaux convertis (Enquête sur des chrétiens, des juifs et des musulmans pas comme les autres).*
31 Régis Debray : *Contretemps (Éloges des idéaux perdus).*
32 Brigitte Camus-Lazaro : *L'année 1992 dans* Le Monde *(Les principaux événements en France et à l'étranger).*
33 Donnet Pierre-Antoine : *Tibet mort ou vif.*
34 Laurent Cohen-Tanugi : *La métamorphose de la démocratie française.*

35 Jean-Jacques Salomon : *Le destin technologique.*
36 Brigitte Camus-Lazaro : *L'année 1993 dans* Le Monde *(Les principaux événements en France et à l'étranger).*
37 Edwy Pienel : *La part d'ombre.*
38 Collectif : *Le Magasin des enfants.* Édité sous la direction de Jacques Testart.
39 Alain Duhamel : *Les peurs françaises.*
40 Gilles Perrault : *Notre ami le roi.*
41 Albert Memmi : *Le racisme.*
42 Dominique Schnapper : *L'épreuve du chômage.*
43 Alain Minc : *Le nouveau Moyen Âge.*
44 Patrick Weil : *La France et ses étrangers.*
45 Françoise Baranne : *Le Couloir (Une infirmière au pays du sida).*
46 Alain Duhamel : *La politique imaginaire.*
47 Le Monde : *L'année 1995 dans* Le Monde *(Les principaux événements en France et à l'étranger).*
48 Régis Debray : *À demain de Gaulle.*
49 Edwy Plenel : *Un temps de chien.*
50 Pierre-Noël Giraud : *L'inégalité du monde.*
51 Le Débat : *État-providence (Arguments pour une réforme).*
52 Dominique Nora : *Les conquérants du cybermonde.*
53 Le Monde : *L'année 1996 dans* Le Monde *(Les principaux événements en France et à l'étranger).*
54 Henri Mendras : *L'Europe des Européens.*
55 Collectif : *Le travail, quel avenir ?*
56 Philippe Delmas : *Le bel avenir de la guerre.*
57 Le Monde : *L'année 1997 dans* Le Monde *(Les principaux événements en France et à l'étranger).*
58 Robert Littell : *Conversations avec Shimon Peres.*
59 Raoul Vaneigem : *Nous qui désirons sans fin.*
60 Le Monde : *Lettres d'Algérie.*
61 Philippe Simonnot : *39 leçons d'économie contemporaine.*
62 Jacques Julliard : *La faute aux élites.*
63 Le Monde : *L'année 1998 dans* Le Monde *(Les principaux événements en France et à l'étranger).*

64 Le Monde : *La Déclaration universelle des droits de l'homme.*

65 Edwy Plenel : *Les mots volés.*

66 Emmanuel Todd : *L'illusion économique.*

67 Ignacio Ramonet : *Géopolitique du chaos.*

68 Jacques Huguenin : *Seniors : l'explosion.*

70 Jean-Louis Andreani : *Comprendre la Corse.*

71 Daniel Junqua : *La presse, le citoyen et l'argent.*

72 Olivier Mazel : *La France des chômages.*

73 Gilles Châtelet : *Vivre et penser comme des porcs (De l'incitation à l'envie et à l'ennui dans les démocraties-marchés).*

74 Maryvonne Roche : *L'année 1999 dans* Le Monde *(Les principaux événements en France et à l'étranger).*

75 Dominique Schnapper, avec la collaboration de Christian Bachelier : *Qu'est-ce que la citoyenneté ?*

76 Jean-Arnault Dérens : *Balkans : la crise.*

77 Gérard et Jean-François Dufour : *L'Espagne : un modèle pour l'Europe des régions ?*

78 Jean-Claude Grimal : *Drogue : l'autre mondialisation.*

79 Jocelyne Lenglet-Ajchenbaum et Yves Marc Ajchenbaum : *Les judaïsmes.*

80 Greil Marcus : *Lipstick Traces (Une histoire secrète du vingtième siècle).*

81 Pierre-Antoine Donnet et Anne Garrigue : *Le Japon : la fin d'une économie.*

82 Collectif : *Questions économiques et sociales.*

83 Maryvonne Roche : *L'année 2000 dans* Le Monde *(Les principaux événements en France et à l'étranger).*

84 Roger Cans : *La ruée vers l'eau.*

85 Paul Santelmann : *La formation professionnelle, nouveau droit de l'homme ?*

86 Raoul Vaneigem : *Pour une internationale du genre humain.*

87 Philippe Meirieu et Stéphanie Le Bars : *La machine-école.*

88 Habib Souaïdia : *La sale guerre.*

89 Ahmed Marzouki : *Tazmamart (Cellule 10).*

90 Gilles Kepel : *Jihad (Expansion et déclin de l'islamisme).*

91 Jean-Philippe Rivière : *Illettrisme, la France cachée.*

92 Ignacio Ramonet : *La tyrannie de la communication.*

93 Maryvonne Roche : *L'année 2001 dans* Le Monde *(Les principaux événements en France et à l'étranger).*

94 Olivier Marchand : *Plein emploi, l'improbable retour.*

95 Philippe Bernard : *Immigration : le défi mondial.*

96 Alain Duret : *Conquête spatiale : du rêve au marché.*

97 Albert Memmi : *Portrait du colonisé* précédé de *Portrait du colonisateur.*

98 Hugues Tertrais : *Asie du Sud-Est : enjeu régional ou enjeu mondial ?*

99 Ignacio Ramonet : *Propagandes silencieuses (Masses, télévision, cinéma).*

100 Olivier Godard, Claude Henry, Patrick Lagadec, Erwann Michel-Kerjan : *Traité des nouveaux risques.*

101 Bernard Dupaigne et Gilles Rossignol : *Le carrefour afghan.*

102 Maryvonne Roche : *L'année 2002 dans* Le Monde *(Les principaux événements en France et à l'étranger).*

103 Mare-Agnès Barrère-Maurisson : *Travail, famille : le nouveau contrat.*

104 Henri Pena-Ruiz : *Qu'est-ce que la laïcité ?*

105 Greil Marcus : *Mystery Train (Images de l'Amérique à travers le rock'n'roll).*

106 Emmanuelle Chollet-Przednowed : *Cannabis : le dossier.*

107 Emmanuel Todd : *Après l'empire (Essai sur la décomposition du système américain).*

108 Maryvonne Roche et Jean-Claude Grimal : *L'année 2003 dans* Le Monde *(Les principaux événements en France et à l'étranger).*

109 Francis Fukuyama : *La fin de l'homme. (Les conséquences de la révolution biotechnique).*

110 Edwy Plenel : *La découverte du monde.*

111 Jean-Marie Chevalier : *Les grandes batailles de l'énergie (Petit traité d'une économie violente).*

112 Sylvie Crossman et Jean-Pierre Barou : *Enquête sur les savoirs indigènes.*

113 Jean-Michel Djian : *Politique culturelle : la fin d'un mythe.*

114 Collectif : *L'année 2004 dans* Le Monde *(Les principaux événements en France et à l'étranger).*

115 Jean-Marie Pernot : *Syndicats : lendemains de crise ?*

116 Collectif : *L'année 2005 dans* Le Monde *(Les principaux événements en France et à l'étranger).*

117 Rémy Rieffel : *Que sont les médias ? (Pratiques, identités, influences).*

119 Jean Danet : *Justice pénale, le tournant.*

120 Mona Chollet : *La tyrannie de la réalité.*

121 Arnaud Parienty : *Protection sociale : le défi.*

122 Jean-Marie Brohm et Marc Perelman : *Le football, une peste émotionnelle (La barbarie des stades).*

123 Collectif : *Dictionnaire de l'autre économie.* Édité sous la direction de Jean-Louis Laville et Antonio David Cattani.

124 Jacques-Pierre Gougeon : *Allemagne : une puissance en mutation.*

125 Dominique Schnapper : *Qu'est-ce que l'intégration ?*

126 Gilles Kepel : *Fitna (Guerre au cœur de l'islam).*

127 Collectif : *L'année 2006 dans* Le Monde *(Les principaux événements en France et à l'étranger).*

128 Olivier Bomsel : *Gratuit ! (Du déploiement de l'économie numérique).*

129 Céline Braconnier et Jean-Yves Dormagen : *La démocratie de l'abstention (Aux origines de la démobilisation électorale en milieu populaire).*

130 Olivier Languepin : *Cuba (La faillite d'une utopie),* nouvelle édition mise à jour et augmentée.

131 Albert Memmi : *Portrait du décolonisé arabo-musulman et de quelques autres.*

132 Steven D. Levitt et Stephen J. Dubner : *Freakonomics.*

133 Jean-Pierre Le Goff : *La France morcelée.*

134 Collectif : *L'année 2007 dans* Le Monde *(Les principaux événements en France et à l'étranger).*

135 Gérard Chaliand : *Les guerres irrégulières (XXᵉ-XXIᵉ siècle. Guérillas et terrorismes).*

136 *La déclaration universelle des droits de l'homme*

(Textes rassemblés par Mario Bettati, Olivier Duhamel et Laurent Greilsamer pour *Le Monde*).

137 Roger Persichino : *Les élections présidentielles aux États-Unis*.

138 Collectif : *L'année 2008 dans* Le Monde *(Les principaux événements en France et à l'étranger)*.

139 René Backmann : *Un mur en Palestine*.

140 Pap Ndiaye : *La condition noire (Essai sur une minorité française)*.

141 Dominique Schnapper : *La démocratie providentielle (Essai sur l'égalité contemporaine)*.

142 Sébastien Clerc et Yves Michaud : *Face à la classe (Sur quelques manières d'enseigner)*.

143 Jean de Maillard : *L'arnaque (La finance au-dessus des lois et des règles)*.

144 Emmanuel Todd : *Après la démocratie*.

145 Albert Memmi : *L'homme dominé (Le Noir — Le Colonisé — Le Juif — Le prolétaire — La femme — Le domestique)*.

146 Bernard Poulet : *La fin des journaux et l'avenir de l'information*.

147 André Lebeau : *L'enfermement planétaire*.

148 Steven D. Levitt et Stephen J. Dubner : *SuperFreakonomics*.

149 Vincent Edin et Saïd Hammouche : *Chronique de la discrimination ordinaire*.

150 Jean-Marie Chevalier, Michel Derdevet et Patrice Geoffron : *L'avenir énergétique : cartes sur table*.

151 Bob Woodward : *Les guerres d'Obama*.

152 Harald Welzer : *Les guerres du climat (Pourquoi on tue au XXIᵉ siècle)*.

153 Jean-Luc Gréau : *La Grande Récession depuis 2005 (Une chronique pour comprendre)*.

154 Ignacio Ramonet : *L'explosion du journalisme (Des médias de masse à la masse de médias)*.

155 Laetitia Van Eeckhout : *France plurielle (Le défi de l'égalité réelle)*.

156 Christophe Boltanski : *Minerais de sang (Les esclaves du monde moderne).*

157 Gilles Kepel : *Quatre-vingt-treize.*

158 Stéphane Foucart : *La Fabrique du mensonge (Comment les industriels manipulent la science et nous mettent en danger).*

159 Rémy Rieffel : *Révolution numérique, révolution culturelle ?*

160 Bill Kovach, Tom Rosenstiel : *Principes du journalisme.*

161 Antoinette Fouque : *Il y a deux sexes.*

162 Stéphane Foucart : *L'avenir du climat (Enquête sur les climato-sceptiques).*

163 Collectif : *La République, ses valeurs, son école.*

164 Gilles Kepel : *Passion arabe suivi de Passion en Kabylie et de Paysage avant la bataille.*

165 Roberto Saviano : *Extra pure. Voyage dans l'économie de la cocaïne.*

166 Patrick Weil avec Nicolas Truong : *Le sens de la République.*

167 Mathieu Guidère : *La guerre des islamismes.*

168 Marcel Gauchet avec la collaboration d'Éric Conan et François Azouvi : *Comprendre le malheur français.*

169 Gilles Kepel : *Terreur dans l'Hexagone.*

170 Philippe Simonnot : *Nouvelles leçons d'économie contemporaine.*

171 Mathieu Guidère : *Au commencement était le Coran.*

172 Christine Kerdellant : *Histoire des grandes erreurs de management (Ils se croyaient les meilleurs).*

Composition Nord Compo
Impression Novoprint,
à Barcelone, le 17 septembre 2019
Dépôt légal : septembre 2019
ISBN 978-2-07-286619-7./Imprimé en Espagne.

358514